la

GORGONE

dans

MORTS SANS SÉPULTURE

de

SARTRE

Eugène Roberto

la GORGONE

dans *MORTS SANS SÉPULTURE* de **SARTRE**

Presses de l'Université d'Ottawa
1987

Données de catalogage avant publication (Canada)

Roberto, Eugène, 1927-
La Gorgone dans *Morts sans sépulture* de Sartre

Bibliographie: p.
ISBN 2-7603-0112-5

1. Sartre, Jean-Paul, 1905-1980. *Morts sans sépulture*.
2. Gorgones (Mythologie grecque), dans la littérature.
3. Regard dans la littérature.
I. Titre.

PQ2637.A82M673 1987 842'.914 C86-090317-6

ISBN 2-7603-0112-5

Imprimé au Canada

Table des matières

ILLUSTRATIONS

Nous remercions les personnes et les organismes qui ont contribué à la réalisation de ce livre.

Cet ouvrage a été publié grâce à une subvention de la Fédération canadienne des études humaines, dont les fonds proviennent du Conseil de recherches en sciences humaines du Canada.

E. R.

Soudain elle fait paraître sur sa face son superbe visage de Méduse que j'aimais tant, tout gonflé de haine, tout tordu, venimeux.

La Nausée.

Introduction

On pourrait s'étonner du rapprochement de Sartre et d'un mythe. En effet, si l'auteur de *l'Être et le néant* fut cet esprit soucieux de se détruire en tant qu'être donné et de créer son être en le néantisant, s'il fut constamment partagé entre *l'être-en-soi* et *l'être-pour-soi*, entre ce qui est acquis et statique et ce qui est mobile et progressiste, il fut évidemment d'une exceptionnelle lucidité dans l'exploration de sa propre nature et dans la formation de son œuvre. Mais l'intelligence de ce qu'il est et de ce qu'il fait n'ignore pas les archétypes culturels qui ont été acquis et qui lui ont été transmis. Et elle peut être portée, dans la production littéraire, à les rejeter ou à les utiliser. Les deux solutions sont intéressantes. Mais la seconde l'est naturellement davantage. Il est certain que l'auteur des *Mouches* a exploité des archétypes mythologiques. L'utilisation peut être consciente et voulue, dans le sens du mythe, ou parodique et ironique. Elle est parfois systématique; elle est souvent allusive. Cependant, dans l'approfondissement de l'être qu'on refuse et qu'on produit et l'ontogenèse de soi, l'auteur de *Morts sans sépulture* retrouve l'homme qui cherche à répondre à ses propres questions dans ses permanentes relations avec le *cosmos*, le *theos* et l'*anthropos*. Il découvre les noyaux des anciens mythes que la culture a transmis et qu'il ne peut pas ne pas voir resurgir dans la mouvance de son être. D'ailleurs, dans *Forgers of Myths* (1946), l'année de *Morts sans sépulture*, il reconnaît le pouvoir qu'exerce le mythe sur l'expression dramaturgique.

On perçoit, dans les textes de Sartre, un caractère fondamental de l'homme qui se situe dans le monde qui l'entoure : c'est que l'homme est à la fois regardant et regardé. Le regard est polyvalent. Et il varie selon les figures et les moments. C'est un faisceau qui jaillit de l'œil et qui saisit l'espace extérieur en une prise circulaire. Mais il peut s'inverser en une embouchure que remplissent formes, lignes et couleurs extérieures. C'est aussi un rayon qui pénètre l'espace intérieur. C'est un moyen de connaissance. Et c'est une source de culpabilité. La diversité du regard tend vers une unicité fonctionnelle, à savoir que le regard a le pouvoir de fixer, d'immobiliser et de durcir, celui de pétrifier.

On se propose d'analyser les diverses dimensions de l'œil dans *Morts sans sépulture*. Le choix de ce texte n'est pas tout à fait dû au hasard. D'abord, le drame présente une obsession du regard tel qu'on vient de le situer. Et cela suffirait à justifier l'entreprise. Mais, de plus, le manuscrit de *Morts sans sépulture*, que j'ai fait acheter à l'Université d'Ottawa et dont je dispose pour cette étude, me rend le texte comme plus vivant et plus fascinant : son état inchoatif montre l'empreinte de la main qui produit et rature, la genèse de la pièce et la formation du regard multiple, qui se manifeste souvent et avec une telle intensité.

Or le regard pétrifiant réfère précisément à un archétype de la mythologie grecque et romaine : le regard des Gorgones transforme en pierre quiconque le voit, et ce qu'il voit; le regard regardant pétrifie le regard regardé.

Dans l'interprétation de *Morts sans sépulture*, je partirai de l'archétype mythique de la Gorgone, puis je lirai le sens gorgonien du texte de Sartre. Cette lecture, selon les principales polarités, se divise en quatre parties : 1. les topographies gorgonienne et olympienne; 2. la Gorgone et le regard; 3. Persée ou celui qui échappe au regard; 4. les Olympiens. Ces titres mettent en valeur le patron mythique que je projetterai sur l'espace et les personnages de la pièce.

Je publierai enfin quelques fragments du manuscrit de *Morts sans sépulture* (manuscrit de l'Université d'Ottawa), accompagnés de remarques sur la transformation du texte, que je rattacherai, à l'occasion, à la mythologie du regard.

Cet essai d'une lecture mythologique s'écarte des approches habituelles, études d'histoire littéraire, considérations philosophiques, interprétations qui suivent la pensée réflexive et critique de Sartre.

BIBLIOGRAPHIE

Jean-Paul Sartre

Manuscrit de *Morts sans sépulture*, Université d'Ottawa.

Morts sans sépulture, Lausanne, Marguerat, 1946.
La *P... respectueuse*, suivi de *Morts sans sépulture*, Paris, Gallimard, « Folio », n° 109, 1972.

L'Être et le néant, Paris, Gallimard, « Bibliothèque des idées », 1943.
L'Imaginaire, Paris, Gallimard, « Bibliothèque des idées », 1940.

Dictionnaires mythologiques

Dictionnaire des mythologies, sous la direction d'Yves Bonnefoy, Paris, Flammarion, 2 vol., 1981.

GRIMAL, Pierre, *Dictionnaire de la mythologie grecque et romaine*, Paris, PUF, 1963.

Sur la mythologie du regard

CAILLOIS, Roger, *La Pieuvre*, Paris, La Table ronde, 1973.

DETIENNE, Marcel et Jean-Pierre VERNANT, *Les Ruses de l'intelligence, la mètis des Grecs*, Paris, Flammarion, 1974.

DIEL, Paul, *Le Symbolisme dans la mythologie grecque*, Paris, Payot, 1966.

LA GORGONE

1. LES TOPOGRAPHIES GORGONIENNE ET OLYMPIENNE

On constate que les divinités mythiques sont liées à des lieux qu'il est possible de situer et de définir. Terres, cieux, eaux et dieux, héros, monstres apparaissent en même temps et se manifestent selon une ressemblance de la figure mythique et de l'élément cosmique. Quel est le lieu gorgonien? le lieu olympien? Quels sont leurs caractères?

D'abord le pays des Gorgones. C'est un Extrême-Monde ou un monde de limites. Une région où la terre finit et où la vie s'épuise; un pays désolé où le regard des Gorgones pétrifie les formes vivantes qu'il rencontre. Mais c'est aussi une zone de confins où des éléments résiduels se mélangent entre eux et s'amalgament à d'autres substances pour former des agglutinations hétérogènes ou anormales : des monstres. On le voit dans la constitution disparate des Gorgones, mais aussi dans la nature de leur parenté, les trois Grées, les sœurs symétriques des Gorgones, qui n'ont jamais été jeunes et qui n'ont, à elles trois, qu'un œil et qu'une dent, Géryon aux trois têtes, Scylla aux six chiens, Echidna, mi-femme mi-serpent, féconde génitrice d'enfants monstrueux.

Le lieu gorgonien est situé à l'ouest, du côté de Tartessos. Il n'est pas distant du pays des Hespérides, les nymphes du Couchant nées d'Hespéros, l'étoile du soir. Le soleil s'y engloutit et les astres y disparaissent. L'Extrême-Monde est l'Extrême-Occident et le domaine de la nuit. Les Gorgones sont les *noires*. Elles sont parfois représentées revêtues de couleurs sombres.

Il est aussi un finistère qui plonge dans les eaux, avec les terres des Atlantes, descendantes d'Atlas, fils de Poséidon. Sans doute l'Océan, époux de sa sœur Thétys, qui est la puissance féminine et féconde de la mer et père des fleuves et des Océanides, fut d'abord un fleuve qui coulait autour du disque plat de la terre. Mais il devint, après diverses variations, l'Océan qui borde seulement cet Extrême-Monde, à l'ouest.

Enfin, il est proche des Enfers. Proche du royaume des morts où coule le Styx, enfant de l'Océan et de Thétys, et où descend, chaque nuit, le soleil. Proche aussi des pacages où Hadès, le dieu des morts, conduit ses troupeaux et vers lequel le géant gorgonien Géryon pousse ses bœufs.

Le pays des Gorgones est extrême-occidental, marginal, nocturne, par rapport à un centre qui est l'Olympe. Ce foyer est la montagne qui domine la Grèce; il est aussi le trône de Zeus, le plus grand dieu du Panthéon hellénique et le maître du ciel clair, de la foudre et de la lumière. Le lieu olympien a les caractères du dieu.

*

L'Extrême-Monde gorgonien se manifeste dans le *grenier* de *Morts sans sépulture*. Il apparaît dans le décor et la mise en scène, que fixent les indications scéniques des tableaux I et III. Les personnages sont alors des éléments topiques et renforcent la signification du lieu mythique. Au tableau I : « Un grenier éclairé par une lucarne. Pêle-mêle d'objets hétéroclites : des malles, un vieux fourneau, un mannequin de couturière. Canoris et Sorbier sont assis, l'un sur une malle, l'autre sur un vieil escabeau, Lucie sur le fourneau. Ils ont les menottes. François marche de long en large. Il a aussi les menottes. Henri dort, couché par terre. » Et au tableau III : « Le grenier. François, Canoris, Henri, assis par terre les uns contre les autres. Ils forment un groupe serré et clos. Ils parlent entre eux, à mi-voix ».

Le grenier est le lieu le plus éloigné du centre habité et actif de la maison. Il est marginal, comme la cave qui est symétrique et un correspondant inférieur : Landrieu mentionne *la cave*, à un moment où il évoque une fin d'existence.

C'est un lieu qui a perdu ici sa fonction première, un monde à part, isolé, clos — les hommes qui y sont assis reproduisent, dans l'attitude du groupe comme dans la posture du personnage, la figure de la fermeture. Il communique difficilement avec l'extérieur de la pièce ou de la maison, par une porte et par une petite fenêtre. Cette *lucarne*, qui donne sur le dehors, est malaisément accessible : Canoris fait la courte échelle à Henri qui réussit à s'y hisser; Jean traîne le vieux fourneau pour pouvoir l'atteindre. Et ce qu'elle permet d'apercevoir, ce sont les choses et les spectacles les plus immédiats : la mairie qui brûle, les ombres, le cadavre de Sorbier. Les pauvres éléments d'un paysage désolé qui semble annoncer la proximité de l'Hadès. La porte est fermée à clé, et elle est strictement gardée par les miliciens. Chaque fois qu'elle s'ouvre — les notes scéniques l'indiquent avec précision — elle fait monter la tension dramatique; elle fonctionne comme un œil et livre passage, un instant, à une présence regardante qui effraie.

Le grenier est une fin de monde et un lieu de déréliction. Où mettre, sinon là, des malles, un vieux fourneau, un mannequin de couturière, un vieil escabeau, qui encombreraient une pièce où l'on se tient habituellement et s'adonne à diverses activités? Ce sont des objets inutiles et sans valeur, qu'on abandonne et rejette à cette limite domestique, des objets négligés, mis *pêle-mêle*, sans qu'un usage ou un ordre puissent les ajuster les uns aux autres : *objets hétéroclites*.

Avec la désaffection et l'incohérence des choses, coïncident la déchéance et l'inharmonie des personnages qui appartiennent au même lieu. L'un est assis *sur une malle; l'autre sur un vieil escabeau, Lucie sur le fourneau [...] Henri dort, couché par terre*. Les résistants sont comme des rebuts. Le grenier est l'Extrême-Monde où les formes s'épuisent, tombent et s'agglutinent. Les hommes ne sont pas libres. Ce sont des prisonniers aux mains menottées. Ils accomplissent des gestes anormaux. Henri remarque que la chair de ses poignets a gonflé. Il lève ses mains au-dessus du mannequin et les fait glisser le long de ses épaules et de ses flancs. Il fume avec difficulté. François tire rageusement autant qu'en vain sur ses menottes. Lucie passe *maladroitement* ses mains sur le visage de François, retire *péniblement* un mouchoir de son veston et lui essuie le front et les joues. Les résistants, brutalisés par les miliciens, deviennent des formes pantelantes. Le corps torturé n'a plus la force de se mouvoir et s'affaisse. Canoris, supplicié jusqu'à ce qu'il saigne, retourne au grenier, *soutenu par deux miliciens*. Sorbier, épuisé, s'écroule *contre une malle*. Lucie, violée, s'effondre et se réfugie dans le manteau de Sorbier. Et le geste devient même monstrueux lorsque leurs mains amicales et fraternelles étranglent François. D'autre part, on remarque, dans la désorganisation et l'accablement, une double agglutination. On note l'accolement d'un personnage et d'un objet : Lucie *sur* le fourneau, un autre *sur* l'escabeau et un autre encore *contre* une malle... Lucie, de même, *se laisse tomber sur une malle*, quand elle entend les cris de Sorbier. Les personnages se joignent aux objets comme d'autres choses hétéroclites dans le même univers, s'y soudent par la forme résiduelle de leur *être-en-soi*. De plus, ils se collent *les uns contre les autres*; ils forment un *groupe serré* autour du corps *lourd* de François. Cette agglomération, que ne peut pas pénétrer Jean, est un madrépore de l'*être-en-soi*, une pétrification collective.

Le grenier n'est pas inondé de la grande lumière extérieure de l'été. Il n'a qu'une lucarne : non pas une fenêtre normale, mais une petite ouverture pratiquée dans le toit et qui laisse passer un peu de lumière, la lueur d'une lampe. (Si on se réfère à l'étymologie de lucarne, on trouve *lucerna*, la lampe.) Le lieu de la lucarne est obscur. Ceux qui y demeurent sont des hommes de la nuit. Jean, qui n'est pas nocturne et qui vient de l'extérieur, *cligne des yeux pour s'accommoder à la pénombre*. Tout visiteur des combles ténébreux distingue mal, en entrant, les hommes qui y sont; et il doit les regarder attentivement pour les voir. Il n'est peut-être pas sans intérêt de remarquer que le lieu de la lucarne est aussi celui de *Lucie*. Le nom de l'unique personnage féminin signifie lumière, mais une lumière qui est bien relative. En effet, selon les traditions, l'histoire et le calendrier, il signifie lumière dans la nuit, une présence humaine lumineuse dans les ténèbres. Le grenier, cependant, présente diverses phases d'obscurité. Plongé dans la pénombre, dès le début, il est marqué par le déclin du soleil extérieur et l'intensité progressive de la noirceur. C'est la nuit noire quand François meurt. Il ne voulait pas être tué *dans le noir*. Mais en vain. Et c'est encore dans *le noir* qu'un milicien *apparaît avec une lanterne, promène* sa lumière *autour de la pièce* et aperçoit François étranglé.

Le grenier résonne comme un lieu vide. Il semble amplifier les sons et les bruits qui prennent une acuité douloureuse et se métamorphosent en menaces : un simple craquement de souliers, un cri, un pas, un frôlement, même ce souffle qui précède un mot qui n'est pas encore dit mais qui va être prononcé. De quelles forces augmente-t-il les ravages des paroles? À l'espace creux, s'ajoute une autre négation, l'absence du temps, comme l'indique clairement la montre cassée de Canoris, la seule montre. Plus d'heure. Les résistants sont dans une durée qu'ils ne peuvent ni diviser, ni organiser, ni définir.

Un non-sens, le grenier marginal, clos, nocturne et creux, le grenier gorgonien. Il est situé par rapport à un extérieur solaire, puissant, organisé, qui le circonscrit et le détermine. Le temps perdu est retrouvé au-delà de la lucarne, là où le soleil inscrit l'heure. L'ordre et la puissance commencent à la limite de la porte. Cet au-delà est le lieu de la domination, qui place le grenier dans sa dépendance et lui donne son *sens de non-sens*. C'est le trône de Zeus; c'est l'Olympe. Il est évident que, dans la géographie et le panthéon sartriens, les puissances dominantes et les lieux supérieurs sont particulièrement redoutables, hostiles et aliénants.

Comme le pays gorgonien se manifeste dans le grenier, aux tableaux I et III, l'Olympe apparaît en la *salle d'école*, aux tableaux II et IV. Les deux lieux, on le constate, se succèdent et s'imbriquent selon l'enchaînement suivant : gorgonien, olympien, gorgonien, olympien. Dans la succession, chaque épiphanie topique renforce ses propres caractères par différence et opposition. En tout cas, au tableau II, paraît la première manifestation contrastée de la salle olympienne. Les personnages renforcent, ici encore, la signification mythique du lieu. La salle est claire. Par la couleur de ses murs : *murs crépis en blanc*. Par la lumière extérieure qui pénètre largement. La fenêtre est ouverte, *toute grande*, car Pellerin tient à respirer un air pur et frais... La salle est la pièce centrale de l'école. Elle est le foyer de deux fonctions étroitement liées, celle du maître qui enseigne et celle du juge qui apprécie et corrige. Cette double activité est matériellement indiquée par la disposition du mobilier, par l'alignement des instruments et des éléments scolaires et par la décoration même qui n'est pas sans signification. La *chaire*, unique et dominatrice, où siège le maître, est placée en face de *bancs et pupitres* bien rangés. Au mur, une *carte d'Afrique*, un *portrait de Pétain* et, près de la chaire, un *tableau noir*. Les miliciens se sont naturellement installés dans ce décor si fonctionnel. Landrieu, le chef, occupe la *chaire*. Il maintient l'ordre traditionnel qui va, selon un sens précis et irréversible, du dominant au dominé. Il pourrait saluer le *portrait de Pétain*, le garant suprême de l'ordre et le protecteur contre toutes les subversions. Il pourrait montrer la carte murale de l'Afrique et la faire voir comme un trophée, un témoignage du triomphe de la force intelligente, un exemple de conquête et de juste domination. Il pourrait enseigner et définir ce qui est le Vrai et ce qui est le Bien. Il pourrait féliciter ceux qui comprennent ses leçons et encourager ceux qui suivent ses préceptes. Mais, aujourd'hui, il interroge, il cherche à dépister l'erreur et à connaître la vérité. Il tient la férule, il sévit contre les mauvais sujets, il torture. Comment ne pourrait-il pas punir et supprimer, dans toutes leurs manifestations, l'ignorance et le mal qui menacent l'autorité légitime, le pouvoir établi et le bien, lui qui est l'agent de la sagesse et de l'harmonie dans le monde?

En somme, il y a deux lieux dans *Morts sans sépulture* : le grenier et la salle. Et on lit, dans le rapport topographique du grenier et de la salle, l'antithèse mythique des confins gorgoniens et du trône de Zeus. D'un côté, le Grenier marginal, ténébreux, désaffecté, encombré d'objets hétéroclites, occupé par des hommes opprimés. De l'autre, la Salle centrale, lumineuse, fonctionnelle, où demeurent les maîtres. Au Grenier gorgonien s'oppose, trait pour trait, la Salle olympienne.

2. LA GORGONE ET LE REGARD

Il y a trois Gorgones, Sthéno et Euryale qui sont immortelles, et Méduse qui est mortelle. Mais celle-ci est la Gorgone par excellence. Ce sont des divinités féminines monstrueuses, qui viennent de relations incestueuses; elles sont filles de deux divinités marines, Phorcys et Céto, respectivement frère et sœur, et petites-filles de Gaia et de Pontos, mère et fils. On remarque que l'enchaînement par unions incestueuses porte la marque de la monstruosité et de l'horreur; il suit la norme d'une passion coupable qui est accompagnée de folie, de suicide, d'exil et de mort. Par ailleurs, il est situé au commencement de la différenciation des individus, à la première génération qui a précédé les divinités olympiennes, aux origines ténébreuses de la figure humaine.

Les trois Gorgones ont sans doute des caractères communs avec des divinités sororales ou parentales : les Grées qui sont nées vieilles, ou les *vieilles femmes*, le dragon du jardin des Hespérides et, selon certains mythographes, les nymphes Hespérides. Elles forment néanmoins un groupe ternaire nettement différencié des figures précédentes, défini par des traits précis, et qui a la valeur exemplaire de représenter le peuple des Gorgones.

Ce sont des divinités céphaliques, en ce sens que la tête constitue la partie la plus importante de leur corps. Elles évoquent spontanément pour nous la classe animale des céphalopodes. La tête est couronnée, non de cheveux, mais de serpents, qui peuvent nous faire penser à des tentacules. Elle est armée de deux puissantes dents, semblables à des défenses. Mais ce sont les yeux qui constituent l'organe principal : ils jettent des regards qui ont le pouvoir de transformer en pierre quiconque, mortel ou immortel, les voit, ou quoi que ce soit d'animé ou de mobile. C'est par le regard que les Gorgones sont redoutables et répandent autour d'elles la terreur : le mot de *gorgos* signifie terrible. On retrouve le caractère squameux des reptiles et l'anatomie composite dans le reste du corps : le cou est recouvert d'écailles de dragon, les mains sont de bronze et les ailes, qui leur permettent de voler, d'or. En somme, une anatomie de combat : non humaine, organique et inorganique, animale et minérale, protégée et terriblement agressive. Peu faite pour l'amour, semble-t-il.

Et, pourtant, la Gorgone a des relations amoureuses avec Poséidon, le dieu de la mer. Sans doute, des affinités physiques ou élémentaires (eau, caractères des céphalopodes ou des serpents, viscosité), organiques ou non (déformation, démesure), les rapprochent. L'union est féconde comme, d'ailleurs, les diverses et nombreuses amours de Poséidon. Deux fils naissent de cet accouplement : Chrysaor et Pégase. Ils reproduisent des traits de leurs parents, et comme Poséidon a une abondante descendance, ceux d'une lignée nombreuse qui est marquée généralement par le gigantisme ou la violence.

Chrysaor est un géant qui naît avec une épée à la main. Il est une nature virile, agressive et guerrière. Il montre l'héritage maternel de l'or et la liaison paternelle avec les eaux marines, puisqu'il épouse la fille de l'Océan, Callirhoé. Et il porte en lui cette monstruosité parentale qu'il transmet à ses enfants, à Géryon, géant à trois têtes, et à Echidna qui signifie la Vipère, mi-femme mi-serpent, et à qui on attribue une étonnante descendance de monstres : le chien Orthros, Cerbère ou le chien des Enfers, l'Hydre de Lerne, Chimère, le lion de Némée, le dragon de la Toison d'or et celui des Hespérides.

Pégase, le deuxième fils, est un cheval ailé. Sans union, sans progéniture. Au service de Zeus, il est une sorte de prêtre guerrier : porteur de la foudre et aide olympien. Malgré une mutation qui le fait passer des Gorgones aux puissances olympiennes, il reste marqué par sa naissance. Son nom signifierait source. Né aux sources de l'océan, il conserve son hérédité aquatique : d'un coup de sabot, il fait jaillir des sources à Hippocrène et à Trézène. Autre trait parental : il est ailé comme la Gorgone.

Chrysaor et Pégase naissent de la Gorgone dans des conditions particulières. D'abord, ils sortent de la tête de la Gorgone. La tête est le siège de la gestation et, substitut du ventre, montre de nouveau son importance. Ensuite, leur naissance est dramatique. Le coup de serpe de Persée qui tranche la tête de la Gorgone, les fait jaillir de leur mère.

*

De l'archétype mythique de la Gorgone grecque, on peut dégager certains caractères constitutifs et universels du regard *terrible* et identifier ainsi des éléments de l'imaginaire de l'œil qui pétrifie.

La division de l'espace en deux zones antithétiques, diurne et nocturne, qui n'exclut pas des glissements réciproques dans la bipartition cosmologique, est liée à la constitution et au fonctionnement de l'œil. Dans l'espace diurne, se manifeste un œil solaire, qui est celui de Zeus et des Olympiens. Un œil paternel et divin. Il signifie la puissance instauratrice, gouvernante et dominante. Cependant la série isomorphique œil-soleil-père-dieu est doublée de l'œil gorgonien mis à la disposition d'Athéna par Persée, un mixte qui dépasse la dualité de l'œil diurne et de l'œil nocturne. Mais, c'est dans l'espace nocturne qu'apparaît l'œil de la Gorgone : présence inattendue, car la nuit ne semble pas propice à une telle épiphanie, n'est pas favorable au déploiement spectaculaire, mais présence particulièrement saisissante et significative. Sans doute, le jour favorise l'épanouissement visuel : les deux culminent également à l'Olympe. Zeus est le dieu de la lumière, et il est le dieu à l'œil jamais fermé. Mais la Nuit, qui est fille du Chaos, selon Hésiode, est un commencement où les premières formes apparaissent et où l'œil se construit. Elle meuble le Vide, elle engendre, elle protège, elle enveloppe les figures naissantes. Et, en même temps, elle provoque, elle aiguise, elle renforce l'œil. On constate, en effet, que c'est dans la nuit que jaillissent les *éclairs* des yeux de la Gorgone. Ces décharges lumineuses montrent que l'œil répond à la genèse et à l'élaboration nocturnes : il fonctionne, il s'adapte, il découvre ce qui est caché et le saisit, il se multiplie en ses nombreuses prises. L'œil nocturne est le foyer d'une rythmique discontinue, fulgurante, à la différence de l'œil olympien qui projette une onde continue. Il est moins l'organe de la *vue* que du *regard*. Cette fonction *regardante* lui est propre dans la division contrastée de l'espace. L'œil gorgonien et nocturne *regarde*; l'œil olympien et diurne *voit*. Néanmoins, ce caractère fonctionnel n'est pas absolument dépendant de l'espace : il est maintenu par la tête de la Gorgone dans le lieu olympien.

D'un autre côté, le fait que l'œil jette des éclairs met en valeur sa constitution *élémentaire*. Pour les Grecs de l'antiquité, tout œil est de nature ignée. Mais le feu de Zeus diffère de celui que la nuit façonne et imprègne. L'œil de la Gorgone est antithétique dans sa nature. Il est d'abord un feu nocturne : il émet des rayons qui se mêlent à des substances ténébreuses. Il est aussi une lueur aquatique. La Gorgone a des affinités avec l'eau; elle ressemble à un céphalopode par son volume céphalique, par ses tentacules que sont ses serpents, par ses yeux hypertrophiés et fascinants. Roger Caillois a mis en évidence l'association de l'œil et de l'eau dans le regard de la pieuvre (*La Pieuvre*, Paris, La Table ronde, 1973). Il analyse, d'une manière précise et pénétrante, la manifestation littéraire de la pieuvre. Il remarque que celle-ci apparaît avec force, en quelques années : dans *la Mer* de Michelet (1861), *les Travailleurs de la mer* d'Hugo (1866), les *Chants de Maldoror* de Lautréamont (1868), *Vingt mille lieues sous les mers* de Jules Verne (1869). C'est la pieuvre romantique. Il la définit comme un animal aux grands yeux obsédants et un monstre qui effraie. Et il souligne l'importance du regard qui est une présence rayonnante et aquatique : un regard qui paraît humain, fixe, qui semble exprimer une intention ou une idée, fluide et variable, qui suit et accompagne, qui observe dans son mouvement et son action, mais qui se renverse d'un seul coup, inopinément.

Ainsi le regard manifeste surtout une psyché tendue et agressive, connaissante et réversible. On voudrait insister sur ces trois caractères, qui sont plus importants que la liaison nocturne ou que les aspects élémentaires antithétiques.

Le regard n'est pas une simple perception des sens, un pur fonctionnement de l'œil; il montre une activité plus grande que la vue, un engagement plus large et plus profond, car il sollicite non seulement des aptitudes physiques, mais des ressources psychiques et cérébrales. Il indique une orientation de la pensée, un projet, une volonté, la tension vers un lieu précis. C'est pourquoi il apparaît comme un trait acéré, orienté et pénétrant. On vient de se référer à une comparaison de combat et à une technique des armes. Il semble bien que le monde qu'il atteint soit chargé de menaces et d'hostilité, et que le regard soit une réponse armée d'adaptation et d'existence. Il y a, dans le verbe *regarder*, le sens de veiller et de prendre *garde* à. Le mot affirme ainsi une présence lucide, vigilante et rayonnante et, en même temps, un milieu qui n'est ni domestique ni familier, mais un univers inconnu et dangereux. Le regard exprime l'homme, dans sa totalité et sa solitude, tendu vers des périls extérieurs et intérieurs; et l'homme, dans l'affrontement, peut être ou vainqueur ou vaincu.

Le regard est l'expression d'un combattant. Mais il est aussi un geste de la pensée qui découvre, prend et retient. L'œil est aussi un lieu de la connaissance, dans le sens de la fixation d'un soi connaissant et d'un objet connu. Le regard de la Gorgone, selon Robert Graves, est associé aux Mystères. La Gorgone arrêtait ceux qui n'étaient pas admis, esprits curieux et étrangers, aux rites initiatiques et protégeait les initiés dans le savoir qui leur était réservé. Gardienne des frontières et protectrice, elle pétrifiait ceux qui en violaient les secrets. Dans ce cas, le regard est l'agent extérieur, semble-t-il, de la transformation en pierre de celui qui a voulu voir et savoir. Même chargé d'un élan d'union, le regard immobilise tout de même l'*objet* évolutif qu'il atteint : Orphée *regarde* Eurydice qui le suit sur le chemin du retour vers la terre et la vie; elle est définitivement perdue, ramenée aux Enfers, fixée à son ancien sort. Et dans les yeux d'Orphée, est arrêtée la dernière connaissance d'Eurydice. La fin de la métamorphose vient aussi de la conscience, qui se projette en dehors d'elle-même ou qui se mire en elle-même. Le premier cas est illustré par la femme de Loth : elle *regarde* derrière elle la ville de Sodome et elle devient une statue de sel. Le deuxième cas, par Narcisse : il *regarde* son image et il se fixe dans ses propres traits. Le regard sur le monde et celui sur soi-même semblent se conjuguer dans le geste de connaissance d'Adam et d'Ève, qui les fige dans un destin commun. Dans tous ces exemples, un interdit clairement énoncé mais violé, un ordre non respecté sont liés à la connaissance. Celui qui regarde et qui se regarde s'immobilise dans sa connaissance du monde et de soi, en même temps qu'il voit la faute dans le monde et la culpabilité en soi. Le passage d'une même frontière — celle de voir, savoir et être coupable — se présente sous la forme d'une pétrification ou d'une fixation dans un destin : les violeurs des Mystères, Eurydice, la femme de Loth, Narcisse, Adam et Ève. On retrouverait, dans des légendes populaires de Provence, des hommes qui sont devenus des pierres parce qu'ils ont passé une norme, semble-t-il, parce qu'ils ont vu, connu et désiré ce qui n'était ni à voir, ni à savoir, ni à convoiter. Les « Moures » de Forcalquier seraient des Maures conquérants que le destin aurait arrêtés dans leur marche et pétrifiés. Les « Pénitents » des Mées, des moines changés en pierres parce qu'ils auraient vu et désiré de belles Sarrasines. En somme, le regard gorgonien est un triple nœud inextricable. Voir, c'est savoir et c'est voir sa faute. Pas de culpabilité sans conscience. Pas de connaissance sans la transgression d'un interdit. Aussi, celui qui connaît et se voit coupable cherche à atteindre le lieu de la connaissance et de la faute pour défaire la chaîne et transmuer le destin. Œdipe tue son père Laïos et s'unit à sa mère Jocaste. Il ne les a pas *vus*; il ne les a pas *reconnus*. Mais, quand il découvre et reconnaît son père et sa mère devant l'oracle, les gestes qu'il a accomplis deviennent des fautes, le parricide et l'inceste éveillent sa culpabilité. Cette double connaissance, cette double transgression sont liées au châtiment que le coupable s'inflige à lui-même. Il se crève les yeux. Parfois, l'intervention pour dénouer l'enchevêtrement du regard, du savoir et de la culpabilité est réservée à un agent extérieur. Ce n'est plus le coupable qui veut se punir, ou qui se punit. Cependant, la liaison reste la même. Et l'intention est de frapper l'œil, où se lient le regard, la connaissance et la faute. Egypios, abusé, s'unit à sa propre mère. Et son père, Boulis, veut lui arracher les yeux. Mais la blessure purificatrice de l'œil n'appartient pas au regard gorgonien. Seul, le triple rapport, qu'aucun élément nouveau ne défait, le constitue.

Un troisième caractère est la réversibilité. Il est accordé avec les aspects précédents; il pourrait se placer parmi les antithèses; il pourrait être considéré comme une réaction agressive; il pourrait se rattacher à la figure du céphalopode. C'est exactement la référence à ce type d'animal qui nous permet de mieux saisir le renversement du regard qui passe du négatif au positif, du passif à l'actif, de la nuit à l'éclair — ce qui relève de l'antithèse — et précisément, qui se change brusquement en un trait agressif. En effet, la réversibilité détermine la nature de l'animal à « mètis », qu'étudient Marcel Detienne et Jean-Pierre Vernant dans *les Ruses de l'intelligence, la mètis des Grecs* (Paris, Flammarion, 1974). Certains poissons, par exemple, apparaissent comme des formes colloïdales, mais susceptibles de manifester une force soudaine, agressive, voire meurtrière. La torpille semble un corps flasque, mais elle peut devenir un corps fulgurant; elle se change en un état contraire et inattendu dans un milieu à la fois vital et hostile; elle passe d'une apparence molle à « la brusque décharge électrique » (Detienne et Vernant, p. 34), et paralyse l'adversaire. Il y a renversement. De même le poulpe, qui se confond avec la roche sur laquelle il se repose et prend appui, immobile ou insaisissable et fluide, « un nocturne » (Detienne et Vernant, p. 46), se transforme en une arme meurtrière par le jet et le lien de ses tentacules qui tuent. L'animal à « mètis » est une présence qui épie, guette, vise, toujours prête à intervenir, « un œil vivant » (Detienne et Vernant, p. 35), et vigilant. De son côté, enfin, Roger Caillois voit le poulpe comme un animal dont la pensée semble surveiller et accompagner l'action. « La pieuvre cérébrale, pour ne pas dire intellectuelle, ne cesse d'observer pendant qu'elle opère. » (P. 217.) La dialectique de l'animal à « mètis » est intégrée dans le regard de la Gorgone qui est essentiellement caractérisé par son attaque, vigoureuse et paralysante, inattendue.

*

On a pu percevoir, dans les descriptions de l'archétype mythique et des caractères de l'œil qui pétrifie, des liaisons et des ressemblances latentes avec l'œil sartrien. Il convient à présent de les étudier. *Morts sans sépulture* est une dramaturgie de l'œil. Il y a toujours, dans son déploiement spatial, un œil pré-ouvert, qui fixe ce qui arrive, qui observe ou qui épie. Ce qui pourrait l'occulter, ce qui pourrait atteindre son fonctionnement et le gêner, est radicalement écarté : aussi, pas d'yeux blessés, pas de cécité, pas d'Œdipe, pas le moindre voile extérieur, pas de vraies larmes qui embrumeraient la vue, pas non plus d'obstacle intérieur qui s'opposerait à la diffusion réflexive. Cette omniprésence, qui s'épanouit pleinement et se renforce dans la réalisation spectaculaire de la dramaturgie, est multiple et polyvalente. Présence de l'œil, mais diversité des yeux et des regards. En effet, on constate que ces derniers n'ont évidemment pas la même origine, ni la même nature : celui de Lucie se distingue de celui de Landrieu; et celui de Clochet, de celui de Pellerin. Qu'ils n'ont pas la même visée : celui de Clochet qui explore le visage d'un homme n'est pas ceux de Pellerin qui *regarde* une boîte de conserve, ni de Landrieu qui, à son tour, *regarde le fond de sa boîte*. Qu'ils n'ont pas la même force : dans l'affrontement collectif, un seul l'emporte sur les autres; cependant cette primauté, aussi brève qu'intensément exclusive, qui n'est pas le propre d'un seul, passe de l'un à l'autre, et d'une manière variable. Qu'ils n'ont pas le même rayonnement, ni la même orientation : ils s'enchaînent; ils convergent; mais ils se séparent; ils divergent. Malgré cette diversité, on peut tenter de distinguer quelques types et de les ranger en une classification qui nous prépare à l'organisation de la matière de cette étude.

Cette typologie est formée de catégories bipolaires. Le regard est double dans sa qualité d'être : il est intérieur et extérieur. Le regard intérieur, qui est réflexif dans la connaissance de soi et dans la culpabilité, affecte tous les personnages; mais il est plus développé chez les résistants que chez les miliciens. Et parmi les premiers, Henri l'intériorise d'une manière spectaculaire et exemplaire : il s'efforce de trouver la faute et veut *la regarder en face*. Le regard extérieur, qui va de l'œil à un objet, chose ou personnage, de l'espace scénique, est plus commun à tous, plus également répandu, plus égal à tout le drame, mais toujours plus important chez les résistants. De plus, le regard se situe dans la bipartition des personnages et se scinde aussi en deux : on distingue un regard *milicien* et un regard *résistant*.

Enfin, dans la géométrie du drame, il apparaît sous une double figure : linéaire et multilinéaire. Linéaire, quand il relie l'œil à un objet unique : Henri observe le ciel par la fenêtre; Jean voit, à travers la lucarne, le corps de Sorbier qui s'est écrasé au sol; Clochet, qui sévit contre Henri, se livre à une orgie visuelle dans sa stricte liaison avec la victime. François interroge avec effroi Sorbier; Lucie, avec sympathie, Jean. Le rapport linéaire peut être répété et repris dans un temps successif. Multilinéaire, lorsque, simultanément, il part de plusieurs yeux et converge vers un seul objet : multiple regard étonné vers Jean, qui est distant des autres résistants quoiqu'il soit parmi eux; regard attentif vers Lucie, quand elle vient d'être humiliée; regard interrogatif et angoissé vers Canoris qui a l'intention de parler. Lucie demande à ses compagnons de regarder son frère épuisé; et alors qu'ils semblent gagner, à la fin, il les supplie de tourner vers elle un regard souriant. Il est aussi multilinéaire quand, dans le même moment, il va d'un foyer unique vers plusieurs objets : celui de François, effrayé, vers les visages qui l'entourent; ou celui de Jean, jeté en une manière désespérée d'adieu, qui atteint, une dernière fois, ses camarades.

Mais le regard sartrien, divers et polyvalent, a les caractères qu'on a dégagés de l'archétype mythique : pétrifiant, antagoniste, agressif, cognitif, réversible. La Gorgone, la pieuvre cérébrale de Caillois, l'animal à « mètis » de Detienne et Vernant sont des homologues de l'être sartrien, regardé et regardant. Regardé, il devient une chose soumise, passive, figée, médusée : la forme de l'*être-en-soi*. Regardant, il est une force libre, active, médusante, qui a prise sur l'existence et qui progresse : la forme de l'*être-pour-soi*. Dans le système du regard alternatif, qui va du passif à l'actif et vice-versa, s'instaure une *viscosité* existentielle qui est norme de vie et de tragique. Seul, le regard actif, le regard regardant vit vraiment; il absorbe ce qu'il atteint, il se nourrit de ce qu'il regarde et il l'éveille à une signification dans l'instant de la connaissance et d'une pétrification. Il est moins important de remarquer que ce qui est passif et regardé perçoit le plaisir d'être connu, de devenir une chose, de se pétrifier dans la conscience d'exister. Le regard produit, dans *Morts sans sépulture, des murs et des pierres*, comme dans le village où a eu lieu un violent combat entre les deux ennemis et où a commencé le drame. Et il semble d'autant plus fort et efficace qu'il se développe dans une pièce qui est fondée sur ce qu'on ne veut pas dire et qui n'est pas dit, dans un drame du silence. La pétrification est particulièrement importante du côté des résistants — et c'est le phénomène le plus remarquable du mythe de la Gorgone. Mais Jean échappe à la métamorphose en pierre. Et, d'un autre côté, l'œil meurtrier de la Gorgone est au service des miliciens. Ce sont d'autres faits gorgoniens. On pourrait se référer à la pierre naturelle ou sculptée pour caractériser les modalités lithiques des résistants : la concrétion de Sorbier, le masque de Canoris, le métamorphisme d'Henri, François ou la statue de l'enfant sacrifié, le « désert » de Lucie.

*

La concrétion de Sorbier. Concrétion, car la métamorphose est, dans son cas, un épaississement des diverses parties de sa propre nature. Elle fige une existence faite de tensions et d'oscillations. Et elle maintient ainsi jusqu'à la fin le disparate et les contradictions de ce qu'il est.

Sorbier se situe dans le regard des autres. Et, d'abord, de son père et de sa mère. Ses vieux parents devraient se le représenter comme lui-même pense à eux et les voit. Mais le regard distant transforme ce qui a été retenu; et il ne saisit pas la métamorphose de Sorbier qui est éloigné et qui disparaît sans susciter le moindre pressentiment, ni la moindre attention. Il devient un *mort sans sépulture*. Moins parce que sa mort ne fait naître aucun geste funéraire et abandonne le corps au sort des choses immobiles, qui restent où elles tombent, que parce que l'absence au regard est accompagnée et suivie d'une absence à la conscience d'autrui, et que, peu à peu, dans une succession de lacunes et d'oublis, l'existence s'annule.

Mais, dans le fragile instant présent, il dépend du regard favorable des résistants. Ceux-ci, et Canoris plus que les autres, explorent son passé. Et ce passé est formé de ce qu'ils ont vu. Ils évoquent sa générosité, son courage et son dévouement : Sorbier a tout quitté pour entrer dans la résistance, pour s'engager dans une action héroïque; pendant *trois ans*, il a combattu pour son idéal; tel jour, il a aidé François épuisé; tel autre jour, il a refusé sa boisson pour la donner à Lucie. Ils construisent ainsi un Sorbier positif et qui est d'une certaine durée, et ils l'opposent au Sorbier qui croit avoir ravagé son existence en un instant et l'avoir *pourrie* par quelques faiblesses sous les coups de la torture. La représentation glorieuse du passé par autrui a l'étrange pouvoir de déterminer et de fixer l'avenir. Sorbier ne faillira pas; il ne parlera pas; il *ne pourra pas parler*, lui dit Canoris. C'est le déterminisme du regard d'autrui. Néanmoins il n'y a pas de coïncidence entre les deux sortes de regards. L'écart permet à la liberté de subsister et même de rendre le regard *dans les yeux* de deux camarades, impossible, par exemple, entre Sorbier et un autre résistant, malgré la dépendance d'autrui.

Dans le troisième cas, ce sont les miliciens et Clochet, en particulier, qui pénètrent Sorbier, non plus dans l'évocation d'une activité passée, mais dans le moment précis où il est torturé. Ce n'est plus un regard qui soulève, comme latéralement et par touches délicates, ce qui a été fait, mais un brutal face-à-face. Il convient de mettre ici en valeur la perception et les réactions de Sorbier. Sorbier est scruté par Clochet, précisément dans les yeux où on peut apercevoir l'ombre de la lâcheté. Lui aussi regarde Clochet, et naturellement dans les yeux où il entrevoit la même forme inquiétante, *les mêmes*, les mêmes yeux. Ces échanges visuels révèlent, à chacun, l'autre et soi-même. *On est frères*, dit Sorbier. Clochet et Sorbier sont des jumeaux. La ressemblance les rapproche, les soude, les fait communiquer. Ce qui touche l'un, atteint l'autre. C'est moi..., *ce n'est pas moi [...] C'est toi*, dit Sorbier à Clochet. Et ce sont deux jumeaux veules. (On note aussi la gémellité métagrammatique, *Sorbier/Corbier*, selon que le personnage est résistant ou milicien.) Cependant, les forces ne sont pas égales; les regards ne sont pas justement les mêmes. Nous constatons que Sorbier est plus passif, plus regardé, et Clochet, plus actif, plus regardant. Le premier est connu et pétrifié par le second; celui-ci savait que Sorbier était lâche, il savait qu'il était *à point*; il avait, peut-être, pressenti le coup de la fenêtre. En effet, il demande que la fenêtre soit fermée, non pas parce qu'il perçoit ce qui va arriver, mais parce qu'il sent qu'*il commence à faire frais*. Cependant, il laisse entendre qu'il a d'autres raisons dans un discours qui sonne faux. N'eût-il pas été capable d'accomplir le même geste, se jeter par la fenêtre dans un moment de panique? Dans cet arrêt de connaissance partagée où chacun apprend à se connaître, Sorbier voit qu'il est lâche, qu'il a peur et qu'il est sur le point de s'écrouler. Deviné par l'autre, il est manipulé comme une chose, comme s'il était dépourvu de volonté, de liberté et d'autonomie; il dépend de ce que l'autre veut, de ce qu'il a l'intention qu'il soit. Sorbier n'est pas juif. Mais l'autre veut qu'il soit juif. Aussi devient-il juif; et avoue-t-il qu'il l'est.

Ce n'est plus se connaître, c'est se voir par le regard de l'autre, c'est se déformer, c'est se méconnaître. Toutefois, il n'y a pas égalité entre le regard extérieur de Clochet et le regard que Sorbier porte sur lui-même. On a pu noter que des écarts tendaient à être réduits. Mais le regard intérieur apparaît autrement destructeur que le regard d'autrui.

Sorbier se dévore lui-même intérieurement. Sans doute, les ravages qu'il s'inflige ne sont point complètement apparents ni visibles. Sorbier est peut-être lâche. Mais il joue, avec une habileté consommée et une minutie parfaite, le spectacle de la lâcheté. Il reconnaît qu'il est lâche comme il accepte d'être juif : serait-il plus lâche que juif? Il ne supporte pas la pensée d'être torturé, et, devant la menace, avoue qu'il va parler et dire où se trouve son chef. Il gémit. Il demande à être détaché du fauteuil. *Il se lève en chancelant*. Il va vers la table. Il sollicite la récompense de la trahison : *une cigarette*. Mais c'est aussi le traditionnel dernier plaisir qui précède la mort. Il concentre sur lui l'attention des miliciens : lui, il peut parler, car il sait, il est le seul à savoir; en effet, il était dans les confidences. Brusquement, il renverse les regards des miliciens vers un point qui est derrière eux, bondit à la fenêtre, saute sur l'entablement, puis se jette dans le vide. Acteur qui place ses paroles et ses gestes avec une maîtrise étonnante, il construit le spectacle de l'absence, indique le point où il n'y a personne, où se noient tous les regards, abolit la convergence de son propre regard et de celui d'autrui, et disparaît. C'est la fin de son spectacle.

La mort est un miroir qui devient opaque et qui annule le regard. Mais elle n'a pas la même signification pour Sorbier et pour les autres. Sorbier dit qu'il a gagné; en effet, il n'a pas parlé; il ne parlera plus. Il est le premier *vainqueur* (voir les remarques sur le manuscrit). Il est aussi le premier *mort sans sépulture*. Il a voulu mourir; il s'est suicidé. Cependant sa mort n'est qu'une fin, une chute : *il a fini* simplement. C'est la fin du regard et de la connaissance, qu'il ne voit pas et qu'il ne connaît pas. Cette mort ne vient pas de l'intérieur, mais de l'extérieur. Elle est le heurt du trottoir, du mur, d'un obstacle sur le chemin. Un accident. Mais elle n'est pas la suite d'un projet; elle n'achève pas une œuvre; elle n'est pas le terme du spectacle de la lâcheté de Sorbier, la conclusion du cheminement de sa liberté. La mort n'est plus qu'une chose durcie, une pierre sans regard, mais qui est vue. Sans regard de Sorbier, mais qui est vue par les autres. Elle est l'aliénation absolue pour celui qui meurt et qui est pris en charge par les vivants qui regardent. Les regards, toujours autres, toujours différents de soi, peuvent être hostiles; ils peuvent être aussi sympathiques. De fait, c'est, en premier lieu, le regard des miliciens qui se penchent sur son corps et qui remarquent qu'il est *crevé* : ce constat, grossièrement exprimé, est accompagné d'appréciations sur le mort qui n'est qu'un fuyard, un *sale couard*, un *salaud*, pour tout dire. Et c'est, en deuxième lieu, le regard de ses camarades. Il y a deux résistants qui ne peuvent rester indifférents et qui sont même fascinés par la présence du cadavre de Sorbier : Jean et François. Le corps mort, c'est essentiellement la *tête*, le crâne, *et ces yeux*... Tête de Gorgone, encore, la tête de Sorbier épouvante François qui veut *voir* et qui *regarde*. Celui-ci est trop faible et trop inexpérimenté pour résister aux maléfices de la tête. Il n'a pas les pouvoirs du héros, car il appartient à Jean d'affronter impunément la tête qui terrorise : Jean est le héros qui, comme Persée, peut s'approcher de la Gorgone, s'emparer de la tête et la transporter. Lui aussi veut *revoir* Sorbier : il accomplit alors sa fonction héroïque de *prendre [...] en charge* le mort et de le porter parmi les vivants. On comprend que les autres résistants ne voient pas l'intérêt de cette démarche et demeurent indifférents ou surpris, à l'exception de François qui commet une faute de présomption. En effet, ils vont mourir et n'ont pas à *prendre en charge* ce qui est mort. Cela *ne* les *regarde plus*. Ce sont ceux qui vont vivre, comme Jean, qui peuvent porter, dans l'existence, l'expression et le poids de la mort. Oui, les yeux de Sorbier mort sont encore chargés de terreur comme ceux de la Gorgone décapitée. Enfin, la charge du mort est transportable, comme celle d'une chose : Persée porte à la main la tête de la Gorgone. Sorbier, réduit à l'état inanimé, dépend, plus qu'auparavant, des autres et des vivants.

*

Le masque pétré de Canoris. En ce sens qu'à la différence de Sorbier, Canoris ne présente pas de constantes tensions, une pétrification aussi antithétique; il est un masque immobile que le regard extérieur a substantiellement produit, une pierre que rien ne pénètre ni n'entame, mais que, soudainement et pour quelques instants, transforment les variations atmosphériques (ce qui met en évidence le même niveau d'existence des choses), l'approche de la pluie (qui provoque un mouvement dialectique) et la répercussion héroïque.

L'être-en-soi habite un rocher que le regard ennemi continue à façonner. L'être est figé dans sa forme; son existence est une vie morte : *il y a beau temps que nous sommes morts*, croit Canoris. Il est mort, car il est livré au regard de l'autre. Il n'a aucune prise sur le monde extérieur. L'espace est sans mouvement, sans figure. Il anéantit les présences. Canoris a bien *une femme* en Grèce; il ne peut la voir : *c'est loin*, dit-il. Les miliciens torturent Sorbier; cette fois-ci, le lieu qui contient son ami est tout proche; mais il ne peut rien voir non plus. L'espace est vide, toujours. Tout de même, Canoris ne peut se situer dans une durée. Sa montre est *cassée*, et le temps est arrêté, perdu. Et les événements ne sont plus liés entre eux par une évolution et un sens qui pourraient les rendre intelligibles. Canoris ne sait pas pourquoi ils ont échoué dans leur tentative de s'emparer du village; il ne voit pas la faute qui a été commise, ni les conséquences qu'on pourrait en tirer. Les conclusions qu'on en déduirait, les interrogations, les réflexions n'apporteront aucun changement. Être mort, c'est être inutile, c'est être aveugle sur le monde et sur soi-même, l'un l'autre se réfléchissant.

L'être-en-soi est également la nullité du soi : aucune pensée personnelle, aucun sentiment, aucune passion. Canoris ne croit pas qu'un regard intérieur ait un sens, que la manifestation d'une culpabilité éveille une dialectique explicative et constructive, et que l'effort de se justifier serve à quelque chose. La vie morte, ou le peu de *vie posthume*, n'a pas plus d'intérêt pour soi que pour les autres. Rien de ce qui se passe dans un corps, ou à l'intérieur des quatre murs qui l'emprisonnent, n'est important. Être attentif aux flux et aux reflux qui passent en soi, se regarder ne sont que les signes d'une torture vaniteuse. Canoris est un être indifférent, insensible, immobile : *c'est une brute*, disent les miliciens, qui ne peuvent en tirer ni un mot, ni un cri. La matière brute, soumise à la torture, ne s'exprime qu'en un épanchement de sang qui macule le plancher, qui hante le regard et que Clochet voudrait qu'on ne lavât point pour *impressionner les autres*. La tache de sang semble dévorer les yeux qui la voient et exercer un pouvoir médusant.

Cependant, à l'intérieur de cette forme pétrée et vide qu'est devenu Canoris, fonctionne une étonnante mémoire visuelle; elle ne retient que, comme floue, la réalité immédiate du premier plan, le village, l'arrestation, la torture, les miliciens, mais elle se représente, avec une extrême précision, ce qui est fixé dans la connaissance et le souvenir comme dans la pierre, comme une ciselure du masque. Par exemple, *le grand qui est si communicatif*, qui le torture, se penche sur lui, souffle sur sa figure, n'est qu'une silhouette incohérente et vague, mais il apparaît en même temps défini et concret, comme l'ancien client à la *sale gueule*, qui sortait de chez le pâtissier Chasières de la rue Longue... *tous les dimanches matin* et qui *portait un paquet de gâteaux par une ficelle rose*. Rien ne peut s'ajouter au passé définitivement arrêté et durci.

Par ailleurs, dans le bloc madréporique des résistants, aucun échange n'est nécessaire, ni n'a vraiment lieu. Canoris tente d'immobiliser Jean, mais celui-ci échappe aux prises et aux liaisons. Toutefois, Canoris est exemplaire de la pétrification collective. Tous *assis*, silencieux, se tournant *le dos*, chacun sait ce que l'autre peut ressentir, ou ce que l'autre a fait. Puisque tout est pour eux figé, tout est connu. La connaissance fermée, le vide personnel sont parcourus par la même vibration que déclenche une quelconque intervention.

Mais Canoris semble se transformer brusquement en un personnage contraire à ce qu'il est, alors que la conclusion dramatique approche. Mutation qui n'est pas sans rappeler les tragiques feintes de Sorbier ni, d'ailleurs, le retournement final des autres résistants. Canoris prend la parole, discute, interroge et conclut qu'il est *disposé à parler*, c'est-à-dire à livrer son secret. Curieux renversement et étrange métamorphose du masque! Le muet devient éloquent; l'irréductible, conciliant; le courageux, peureux. Les miliciens et les résistants le dévisagent en un spectacle dans le spectacle. D'où les questions des uns, et les exclamations des autres : *Canoris! Lâche!* Non, en fait, rien n'a vraiment changé en lui. Le spectacle du masque continue. Celui vers qui convergent les regards a simplement glissé, sur le premier masque, un second : celui de l'homme qui a peur de mourir et qui est prêt à trahir, à livrer son chef. Il joue la comédie; il *ment*. Cependant le premier masque subsiste. Il répète ce que Jean a dit, juste avant son départ : envoyer les miliciens à la grotte de Servaz où ils trouveront un cadavre qu'ils prendront pour Jean; et ce sont moins les paroles, les propositions, le raisonnement de Canoris que l'écho d'un autre qu'il répercute. Et pourtant le passage du héros perséen semble animer l'œuvre de la Gorgone. Mais il y a plus qu'un reflet de Jean dans la brusque variation de Canoris. Il y a, du moins, autre chose. Rien n'est aussi efficace dans la métamorphose du masque pétré que la montée hygrométrique et la pluie. La préparation et l'arrivée de l'orage du soir, auxquelles se réfère Canoris, par deux fois, d'une manière significative, exercent une influence déterminante sur son apparent changement. La pierre absorbe l'humide et se dissout. L'eau éveille la pensée, le goût de vivre, le discours du bonheur; elle ouvre les yeux et la connaissance. La pluie du soir a un étonnant pouvoir discursif. La perception de la *vie posthume*, ou de la mort, reposait sur le caractère *inutile* de la vie. Mais, si l'adéquation vie posthume/inutilité est annulée, l'enchaînement des propositions et des réactions est naturellement renversé. Si la mort demeure inutile, mais si le *peu de vie* devient utilisable et efficace, il paraît urgent de tenter de vivre et d'être utile. Il est alors inadmissible de *mourir pour rien*; il convient instamment de vivre pour quelque chose : *nous faisons bien. Il faut vivre*, dit Canoris, en conclusion. Vivre devient un devoir. Il signifie être parmi les hommes et agir pour eux. Ce qui compte? *Le monde et ce que tu fais dans le monde.* Alors que la mort fixe ce qui a été fait et fige pour toujours ce qui est malentendus et fautes, la vie résorbe et transforme ce qui a été accompli; elle emporte les petites histoires personnelles, les erreurs, les doutes, les réussites et les promesses dans une œuvre qu'elle réalise. Mais l'état visqueux et fluide n'est pas la nature de Canoris qui est profondément pétrée. Le ruissellement de la pluie, qui a recouvert le masque et suscité l'apparente variation, n'est qu'illusion et aberration. Canoris n'est pas Jean; il n'est pas le héros perséen tel que nous le définirons dans l'analyse de Jean et du regard. Différent de Sorbier, qui est sensible, variable, et oscille constamment, mais qui se tait et se tue, Canoris est d'une seule pièce, dur, immobile dans le drame du regard, sauf à la fin où, par un renversement spectaculaire, il prend le masque de l'homme qui parle et veut vivre. Mais son destin est d'être victime du regard, un masque de pierre. Et il s'abat sur lui et le ressaisit comme il le tenait auparavant alors qu'il lui paraissait familier et naturel. Il a pour terme la pétrification de la mort à laquelle se heurte, avec force et aveuglément, le dernier effort de vivre. Pour Canoris, comme pour Sorbier, la mort est une fin brutale, un mur qui arrête, non un achèvement. Mais, dans le cas présent, elle paraît d'autant plus accidentelle que le passage de la vie à la mort n'est pas voulu, n'est pas prévu, n'est pas préparé.

*

Le métamorphisme d'Henri. En effet, la structure du personnage est celle d'une pétrification soumise à de profondes transformations sous l'effet du feu et de la force tragiques. Ces modifications importantes et développées diffèrent des oscillations de Sorbier et de la fixité de Canoris, qu'atteint, un instant, l'eau de la pluie.

Regardez Henri : il dort, dit Lucie. Elle invite les regards des autres à considérer l'attitude qui neutralise l'angoisse. Mais le sommeil est moins la maîtrise de soi qu'une phase de l'aliénation. Il ressemble à la mort : Hypnos est le frère jumeau de Thanatos. C'est pendant le sommeil, on le sait, que les Gorgones sont surprises par leur adversaire, et Méduse, en particulier, qui est mortelle et qui va être tuée. C'est précisément cette peur d'être pris dans son sommeil par la main ennemie, qui hante l'esprit de Sorbier. Le sommeil annule le regard de celui qui dort. Mais le sommeil d'Henri est un creux où se prépare l'éveil du regard de la Gorgone. Il est une négation du réel : Henri ne sent plus sa douleur; il a conscience qu'on lui a volé du temps; il ne sait plus l'heure qu'il est. Ce déficit est consécutif à un évanouissement de l'être qui a perdu sa stature, dès qu'il a perçu sa solitude et qu'il a eu le sentiment que le monde l'avait oublié. Enfin, la fuite du réel est renforcée par le fait que le sommeil est envahi par le rêve : Henri rêve qu'il danse à Schéhérazade, à Paris. Il fuit ainsi le grenier, où il est prisonnier, et le présent intolérable pour se réfugier dans d'autres lieux — plus agréables! — et dans le passé. La perte du réel est d'autant plus accentuée qu'Henri n'y est jamais allé... Cependant le vide hypnotique et gorgonien n'est pas sans rapports avec le réel. Henri danse en songe pendant qu'on entend réellement une polka; la danse irréelle est liée à la musique réelle par le rythme qui se déploie dans le même temps. La musique des miliciens sert de support non seulement au rêve mais encore au sommeil : dès qu'elle s'*arrête*, Henri se réveille *brusquement*. Mais aussi au regard qu'il jette vers la ferme : *la musique, le soleil : tableau*. Par ailleurs, le rêve se prolonge dans le réel; la danse rêvée suscite une danse réelle. Henri demande à Lucie si elle veut danser, par trois fois. Demande insolite, qui appelle un triple refus, mais qui répond aux pulsions du rêve. Et la troisième invitation, soutenue par un air de java, aboutit à une danse enfin réelle. Lucie n'a pas accepté, mais *les danseuses ne manquent pas*. Néanmoins, la danse réelle est empreinte de la présence du songe. Henri danse avec un *mannequin*; il danse seul. On note alors un déficit dans le glissement du rêve au réel : « le réel s'accompagne toujours de l'écroulement de l'imaginaire », selon la phrase de Sartre dans *l'Imaginaire* (p. 188). Non, ce n'est plus le Schéhérazade *imaginaire*; c'est le grenier encombré d'objets poussiéreux. Ce n'est plus le Paris des beaux jours, c'est un village perdu et à moitié détruit par la guerre. Ce n'est plus une danseuse, c'est un mannequin. Ce ne sont plus les mains libres d'un danseur heureux, ce sont des mains enchaînées.

Si le rêve irrigue quelque peu le réel, la conscience réalisante s'enracine dans le creux du songe. Qu'en est-il du regard, une fois qu'il se manifeste? Le métamorphisme gorgonien d'Henri présente une tripartition dont les phases successives sont nettement marquées. Chacune correspond à un regard prédominant : la première, au regard intérieur retourné sur soi; la seconde, au regard extérieur et adverse des miliciens; la troisième, au regard extérieur et intime des résistants. Triple regard de la Gorgone.

D'abord, le réveil d'Henri coïncide avec l'éveil du regard intérieur. *Ah! nous avons bien manqué notre coup. [...] Où est notre faute?* se demande-t-il. Diel a mis en valeur la signification psychologique des figures mythologiques dans *le Symbolisme dans la mythologie grecque* (Paris, Payot, 1966). Son interprétation du mythe de Persée éclaire le sens gorgonien du regard qu'Henri porte en lui-même. *Voir Méduse* signifie reconnaître sa propre culpabilité (Diel, p. 95). Cette perception se réalise *dans les grandes crises de la vie consécutives aux défaites* (p. 96). C'est dans des conditions semblables que se trouve Henri : il a échoué dans l'attaque du village; il est prisonnier; on va le torturer et probablement le tuer. Aussi regarde-t-il en lui-même et voit-il Méduse : il avoue sa culpabilité. *Je me sens coupable.* Et cet aveu se répercute en d'autres questions et d'autres aveux. Il s'interroge; il essaie de repérer la faute; il cherche à s'expliquer. *Les choses n'auraient pas dû tourner de cette manière. Si je pouvais trouver cette faute...* Et s'il la trouvait? *Je pourrais la regarder en face et me dire : voilà pourquoi je meurs*. Mais, comme il ne la trouve pas, ce n'est pas en face de lui qu'il regarde, mais à l'intérieur de ses propres actes. Il se prend ainsi dans *un encerclement [...] médusant* (Diel, p. 96). Tout ce qu'il a fait, toute sa vie lui présentent le spectacle de la faute et suscitent un sentiment d'immense et totale culpabilité. *Pendant trente ans, je me suis senti coupable. Coupable parce que je vivais [...] et je vais mourir coupable. Ma vie n'a été qu'une erreur.* Le fait de reconnaître sa culpabilité et de l'avouer ne conduit pas Henri à un défoulement libérateur, mais à la complaisance pétrifiante en ses fautes et à l'exaltation de sa culpabilité. *Tu n'es pas modeste, Henri*, lui dit Canoris. La remarque, qui peut paraître banale mais qui étonne Henri, est juste. Elle confirme l'interprétation présente. Il est vrai qu'Henri n'est pas modeste. Dans le regard intérieur de la Gorgone, la culpabilité et la vanité sont inextricablement liées. En effet, Henri élimine les références qui lui sont extérieures (les autres, les copains) et ne se fie qu'à son jugement personnel. *C'est à moi seul que je dois des comptes à présent*, dit-il par deux fois. Et encore : *je me trouve en face de moi-même.* Dans un autisme intransigeant, s'exaltent uniquement les désirs coupables qui comblent la conscience vaniteuse. Vaniteuse, la réflexion qui considère cette culpabilité comme incomparable, exclusive et indélébile. Voir Méduse, ce n'est pas se saisir soi-même, mais voir le monstre de soi-même. *Le regard effrayé ne s'attache qu'aux faiblesses sans tenir compte des qualités elles aussi existantes, mais paralysées à force de stagnation* (Diel, p. 96). Henri n'aperçoit qu'un portrait déformé, figé et mutilé, et une œuvre négative, morte et inutile. L'autisme est une source de désespoir. Henri se sentait justifié lorsqu'il dépendait d'un chef et qu'il n'avait qu'à obéir; mais, depuis qu'il ne reçoit plus des ordres et qu'il ne dépend que de lui-même, il n'est plus justifié. S'il lui avait été encore possible d'entreprendre quelque action, de taire un nom, de cacher un secret, ce supplément de vie et cet engagement auraient pu être utiles. Mais cela est illusoire. Et la somme de sa vie demeure sans importance : *c'était vraiment tout à fait inutile que je naisse.* Et s'il ne sauve pas sa vie, peut-il encore *sauver sa mort?* La mort n'est que la fin d'une vie injustifiée et d'une stagnation désespérée; elle n'est qu'un accident qui ne sert à rien, qui ne répond à aucun projet, à aucune volonté de soi. Henri a ce jugement prophétique : *nous ferons des morts injustifiables.* Le personnage qu'il est n'est pas une présence *indispensable*; il *ne manque nulle part*; il est jeté hors du monde et le monde reste plein : une pierre inutile et inutilisable sous le regard de la Gorgone.

La présence de Jean atteint le regard intérieur d'Henri. Il le métamorphose, mais sans l'arracher à sa fin injustifiée. Désormais, Henri a *quelque chose à cacher*, c'est-à-dire à dérober au regard adverse. Cela annule, semble-t-il, ce qu'il disait sur la privation d'un point d'appui extérieur et l'absence d'une justification. Soudain, entre lui et Jean, il perçoit un nouveau réseau visuel. Sa mort pourrait être justifiée parce qu'il a vu Jean, et Jean pourrait être le *témoin* de sa mort. Un témoin vivant, qui serait le gage de sa survie parce qu'il porterait dans ses yeux tout ce qu'il aurait vu et la dernière image vivante d'Henri. Mais cet enchaînement de présences est aussi illusoire.

Comme Sorbier et Canoris, Henri est la victime du regard ennemi des miliciens. C'est la deuxième phase de sa pétrification. Il apparaît dans une séance de torture comparable à celle de Sorbier. Mais la présentation scénique est comme à l'image du personnage. Dans le cas de Sorbier, elle est incertaine, allusive, biaisée et abrégée. Dans celui d'Henri, elle est nette, pleinement développée et systématique. De plus, elle appartient à cette série de spectacles dans le spectacle, où les acteurs eux-mêmes deviennent spectateurs; elle forme un sommet visuel du drame et le grand spectacle de la torture. L'agression du regard hostile atteint une victime qui résiste pour protéger sa vérité inviolable. À Landrieu, qui l'observe et le visite, il n'abandonne que des lambeaux d'état civil, plus ou moins précis. Attaché, immobilisé, il subit les gestes des autres qui le brutalisent et l'humilient : on lui *plante* une cigarette dans la bouche, et on lui demande de fumer, on le lui ordonne — fausse générosité qui masque la plus cruelle brutalité. Il est si près du bourreau, si écrasé par lui qu'il n'est plus vu de personne, ni d'un regard ami, ni d'un spectateur qui puisse l'admirer : il y a une sorte de confusion, qui soude les personnes ensemble dans la torture. C'est dans les mains de Clochet que se réalise la nouvelle organisation de la chose que constitue la victime. En effet, c'est bien un corps, un être chosifié, qu'Henri présente au tortionnaire, et surtout son sommet, la tête, comme le montre Clochet dans ses observations. Dans la mesure où il dépend encore d'Henri, le corps est durci, contracté, réduit : il est presque muet. Les quelques mots qui en sortent, comme la tache de sang glissante sur le corps de Canoris qui s'est tu, expriment, par le laconisme qui mutile le langage et par la négation, la volonté de ne pas parler en même temps que la tension vers la pétrification. Les cris ne sont plus que les bruits de la matière qui s'affirme. Ce mutisme, que compense le commentaire volubile de Clochet, contraste avec la parade verbale de Sorbier, qui s'efforçait d'égarer les maléfices de la Gorgone. Le corps pétrifié est aveugle. Et Henri passe également par cette absence du regard. Les yeux restent ouverts, mais ils ne voient plus les formes extérieures. *Qu'est-ce qu'ils voient?* demande le tortionnaire. Mais, dès que le regard se recompose dans les yeux qu'il a abandonnés quelques instants et qu'il recommence à percevoir les miliciens, il se charge de nouveau du pouvoir médusant. Pellerin sent, dans le retour de cette présence visuelle, quelque chose qui paralyse et qu'il faut briser : *Baisse les yeux. Je te dis de baisser les yeux*, dit-il à Henri.

La troisième métamorphose d'Henri, sous l'effet du regard des résistants, converge vers deux gestes : la mort de François et l'aveu.

Henri est déjà profondément marqué par la Gorgone du regard intérieur et du regard des miliciens lorsqu'il atteint cette phase. Les morsures venimeuses les plus récentes le paralysent surtout. Il le montre dans son dialogue avec Jean. Il n'a plus d'intérêt pour ce qui leur était commun; il s'est détaché de leurs souvenirs et de leurs projets; il rompt avec celui qui ne cesse d'échapper à la Gorgone et qui est impatient d'agir. Aussi est-il indifférent à ce que Jean pense et fait : que lui importent les gestes des miliciens sur Lucie, l'effort de Jean de traîner le fourneau sous la lucarne, son désir de voir le cadavre de Sorbier! Les autres, non plus, n'ont pas d'importance pour lui. Ce qui compte, ce qui résiste encore, c'est être soi-même, s'occuper de soi-même pour le peu de temps qui reste. Et dans sa résistance passive, il est plus proche de ceux qui ont été atteints par la Gorgone, qui sont morts, ou qui souffrent et qui restent immobiles.

Ce sont précisément ceux qui sont le plus proches qui exercent une influence déterminante sur son geste meurtrier. La Gorgone regarde Henri qui va étrangler François. Mais cette présence, qui le conduit dans son acte, demeure un regard qui est moins compromission que présence spectatrice. Elle se manifeste d'abord avec Lucie. Elle arrête la pensée d'Henri. Lucie et Henri *se regardent*. L'échange des regards n'est pas équivalent : celui de Lucie est plus lourd et plus pétrifiant. Par lui, Henri est fixé. Canoris est une autre figure de la Gorgone. Il *vient se placer près d'Henri*. Ce rapprochement ne signifie pas seulement un appui et un secours, mais il contribue à déterminer l'acte qui s'accomplit : *tous deux regardent François*. Henri, accompagné d'une présence gorgonienne, devient lui-même médusant au point que François est *effrayé* et qu'il recule. La Gorgone devient plus agressive quand elle rencontre une quelconque opposition; elle écarte Jean; elle s'acharne sur François. Henri apparaît alors comme le serpent le plus venimeux et le plus dangereux : il avance et il tue. Cependant son mouvement appartient aussi à une présence qui le dépasse et qui le conditionne. *Il est mort*, dit-il à propos de François, et non pas : je l'ai tué. Il considère son geste meurtrier comme la réalisation de la volonté de la Gorgone et se perçoit lui-même comme un spectateur qui constate la mort de François.

La Gorgone à trois têtes est effrayante. *Vous me faites horreur*, dit Jean, qui amorce un renversement caractéristique de la rythmique médusante, en retournant contre ses compagnons l'acte qu'ils viennent de perpétrer, et surtout contre Henri en qui il éveille le regard intérieur. Jean a été écarté; il n'est donc pas *complice*; il est *témoin*, une présence qui regarde; et il voit des *assassins*. Henri ne trouve aucun point extérieur d'apaisement, mais des griefs qui ne font qu'aggraver sa panique. Jean continue à exacerber son obsession de culpabilité quand il lui dit qu'il a tué *par orgueil*. Il l'atteint alors au point le plus faible et le plus déchirant de sa nature, où Canoris l'avait déjà blessé. Le meurtre qu'Henri a accompli ne serait pas ce qu'il avait pensé et voulu faire; il ne serait pas la réalisation, par ses propres mains, de la volonté des autres; il ne serait plus une entreprise collective, mais un acte personnel qui avait été prévu et calculé dans la solitude; il ne serait qu'un élément d'une stratégie individuelle fondée sur l'intention de *gagner* et de se faire valoir. Il avait commis sans doute quelques fautes, il avait faibli durant la torture, il avait crié. Aussi aurait-il voulu compenser ses erreurs et effacer sa honte par un exploit. Il aurait voulu *éblouir* les autres résistants et neutraliser ainsi leurs regards. Jean suscite, de la sorte, non seulement sa culpabilité, mais engage Lucie et Canoris à la stimuler encore. C'est évidemment l'interrogation coupable qui aggrave la distance entre la conscience de soi et la présence des autres. Henri se tourne donc vers Lucie et Canoris comme si une pensée unique les avait soudés ensemble. Mais Lucie ne sait pas s'il a agi par orgueil. Sa réponse est pour le moins inutile. Et Canoris sait qu'il n'est pas lui-même orgueilleux, mais il ne peut répondre à l'angoisse d'Henri et lui dire que lui, Henri, n'est pas orgueilleux. Sa réponse est également négative. Ainsi Lucie et Canoris n'apaisent pas la conscience d'Henri; ils renforcent au contraire la virulence de son regard coupable. Et sa culpabilité ruine par une action progressive et sournoise tout ce qu'elle touche. À la fin, il n'y a plus rien dans la conscience : *non, je ne sais plus*. Mais l'orgueil n'est pas pour autant écarté; il reste lié à la culpabilité : plus intense est-elle, plus fort est l'orgueil. Somme toute, la solution n'est pas plus du côté de la mauvaise conscience que de la bonne conscience; elle est en dehors de la réflexion sur soi : quand Henri ne regarde plus en lui-même, à la poursuite de sa faute.

Mais, à la toute fin, Henri semble le plus aliéné, le personnage encore vivant le plus marqué par la Gorgone. Il est épuisé. Sa seule consolation est de ne pas avoir parlé — l'enjeu dramatique. Il est prêt à mourir et paraît satisfait de pouvoir *mourir avec* lui-même. Dans son immobilité et sa lassitude, d'ailleurs, il pense que la mort est *facile* et qu'elle ne laisse même pas *le temps de regarder* les fusils qui arrêtent la vie. Cependant, il demeure la proie des autres. Canoris le renverse et le met dans une position contraire. S'il n'a pas joué un rôle décisif dans le meurtre de François, il exerce un pouvoir médusant qui prédomine dans la phase de l'aveu. Il oppose à la décision de se taire d'Henri, l'intention de parler; à l'acceptation de mourir, la volonté de vivre. Il dispose, pour méduser Henri, de deux arguments. Le premier est d'ordre social et pragmatique; le second, personnel et réflexif. Plus efficace que le premier, apparaît le second, qui répond mieux à la nature d'Henri. D'abord, Canoris lui rappelle les avantages de la vie. Elle permettrait d'être utile et de travailler pour les autres. *Partout*, il y a des hommes qui ont des besoins et qui pourraient être aidés par ceux qui ne seraient pas morts d'une façon absurde. L'engagement serait des plus importants pour les plus faibles et les plus démunis. Henri admet ses considérations. Sans plus. Mais la proposition de Canoris : vivre au lieu de mourir, déclenche de nouveau son sentiment irrépressible de culpabilité. La mort de François continue de le hanter. Il revient à ce qu'il pensait au moment où il vit son jeune ami, *par terre, tout blanc* : il acceptait ce qu'il avait fait; il acceptait cette mort. Mais il pensait que lui-même mourrait peu après. Le retour au passé et le repli sur soi conditionnent le présent. Maintenant, il ne *veut* pas survivre; il ne *peut* plus vivre. La mort de François appelle sa mort à lui. Et, lorsqu'*il regarde par la fenêtre* et qu'il voit que *la pluie va tomber*, il aperçoit autre chose que des nuages d'orage. Le ciel est un miroir oraculaire où il lit sa propre conscience, un miroir qui répond à l'interrogation qui ne cesse de le hanter. Tout d'un coup, il semble découvrir que *c'était par orgueil...* Cet éclat montre qu'il pense toujours au meurtre. Et, aussitôt, il est repris par son irréductible culpabilité. La vie signifierait donc une perpétuelle interrogation sur soi-même et un enchaînement de remords. C'est ici que le pouvoir de Canoris est déterminant. Henri, pense-t-il, veut *sauver* sa *vie* et s'intéresse trop à lui-même pour vouloir mourir avec lui-même et en vainqueur. Par ailleurs, s'il a tué François dans un acte d'orgueil et s'il meurt maintenant, la faute demeure fixée pour toujours. En revanche, s'il continue à vivre, tout recommence, tout est remis en question. Et il sera jugé sur une vie entière. Canoris neutralise Henri, qui s'en remet à Lucie pour prendre une décision : *qu'elle décide!* Henri n'existe plus par lui-même; il n'a plus de volonté; il est pris par l'un ou par l'autre, et passe de Canoris à Lucie comme une chose. Il adhère à Lucie : *je ne te quitterai pas, Lucie, et je ferai ce que tu auras décidé*, lui dit-il. Et Lucie ayant accepté de parler, il agira comme elle. Dernière aliénation avant la mort.

*

François ou la statue de l'enfant tué. Parce qu'il tend vers cette figure finale et que cette image exprime le mieux le destin du personnage. Quelle est cette forme tragique? Lucie prend le *corps de François dans ses bras... La tête de François repose sur ses genoux*. C'est la position significative de l'enfant qui se réfugie dans le giron de la mère. Mais cet enfant est mort. Il a l'aspect de la pierre. Lucie demande à ses compagnons de s'approcher et de venir le toucher : *Voyez comme il a l'air dur. Il ferme sa bouche sur un secret. [...] Le petit pèse lourd sur mes genoux*. Cette image est d'autant plus forte et prenante que nous assistons à la mort de François — la seule mort qui soit présentée au spectateur —, que le meurtre du jeune compagnon est d'une cruauté inouïe, et que vers elle convergent d'autres morts d'enfants, d'*enfants* anonymes et d'autres qui sont connus : la *petite de la ferme* et le jeune *Destaches*.

Mais on n'est pas surpris de voir Lucie prendre ainsi le corps de François mort, car elle refait un geste déjà accompli alors qu'il était vivant. C'est sur la dyade de l'enfant et de la mère que se construit le réseau visuel de François. François est un enfant sans épaisseur intérieure, fragile; il se situe, semble-t-il, dans une existence pelliculaire. Il insiste lui-même sur son jeune âge et son innocence; il n'a que quinze ans; il se compare à la *petite* de la ferme qui n'avait que deux ans de moins que lui. Il est incapable de résister à ce qui se passe autour de lui et de s'y adapter. Il ne supporte pas d'être enfermé dans un grenier et d'être menotté; il souffre d'être immobilisé et réduit au silence : aussi fait-il du bruit avec ses souliers, bouge-t-il et tourne-t-il en rond. Mais c'est un leurre. Il ne sait pas comment il pourrait avoir moins mal; il est déchiré entre ses contradictions; il a chaud et il a froid en même temps. Il a peur du silence, mais il a également peur des paroles de ses compagnons. Il est pris de panique quand il perçoit des pas dans le couloir. Il tremble d'effroi lorsqu'il imagine sa propre torture, qu'il entend les cris de Sorbier ou qu'il voit son cadavre. Sa détresse d'enfant appelle la présence de la mère protectrice et consolatrice; elle met François, précisément, aux genoux de Lucie, la sœur maternelle. *Il se laisse glisser aux genoux de Lucie*; il pose sa tête sur ses *genoux*. Il trouve ainsi un refuge, où il maîtrise sa hantise. Il n'a plus mal. Il n'a plus peur. Quand il sent que la tentation de céder à son désordre le reprend, il *vient près de Lucie et s'assied contre ses genoux*. Et au moment où sa volonté craque, il *s'abat sur les genoux de Lucie*. De la sorte, l'image morte a été préfigurée par l'image vivante. La grande sœur apparaît comme une mère et une mère de la pitié. Autrefois, elle protégeait son frère; elle se chargeait de ses chagrins; elle lui rendait la vie plus heureuse et plus souriante; elle lui prodiguait ses soins et sa tendresse : elle rappelle le souvenir d'un séjour dans un hôtel d'Arcachon, près des pins et de la mer. Maintenant, elle l'invite à venir s'asseoir près d'elle; elle *le serre contre elle*; elle essuie la sueur de son front; elle lui parle avec compassion; elle lui donne des conseils : ne pas être impatient, s'économiser... Elle veille sur lui.

Mais la mère, vigilante et consolatrice, est aussi aliénante et dévoreuse. Par là, elle rejoint la présence médusante de l'autre, qu'il soit milicien ou résistant. François est un œil ouvert, passif et terrorisé : *voici huit jours qu'il n'a pas fermé l'œil*, dit Lucie. Il se sent vu par les miliciens; et il ne voudrait pas qu'ils perçoivent son énervement, sa peur, sa faiblesse. Et il est effrayé par les signes qu'il voit dans les yeux des résistants. Il voudrait savoir à quoi pense Sorbier; mais, dès qu'il le *regarde*, il est rempli de terreur et *recule*. Qu'a-t-il vu? Non pas Sorbier, qui n'est en rien affecté par ce regard. Mais, à travers Sorbier, un spectacle gorgonien qui appartient au passé : le village jonché de cadavres, *couchés entre les pierres*, la ferme et sa petite morte, l'immobilité et l'impossibilité d'agir. Et aussi le spectacle de soi-même. En effet, François qui n'a pas de résonance profonde, n'a pas de regard intérieur. Il a besoin de la pensée des autres pour se voir comme dans un miroir; il se réfléchit à l'extérieur de lui-même. Il est épouvanté. *Je ne peux pas regarder vos visages : ils me font peur*, dit-il. Non seulement il se découvre dans une scène restituée par la pensée de Sorbier, mais il se connaît dans les regards qu'il porte à l'un et à l'autre, et où apparaissent les gestes et les marques de la torture. Et, en même temps qu'il se connaît, il a peur. Le visage de l'autre, que ce soit celui de Sorbier, de Canoris, de Jean, d'Henri ou de Lucie, est un miroir qui lui montre ce qu'il est, mais aussi qui le fait connaître à l'autre. Lucie, avant de *dévisager* François, lui demande de *la regarder*, en lui *soulevant la tête*; elle décèle, au fond de ses yeux, son angoisse; elle le fixe dans sa débilité et son agonie. Jean, de son côté, est assuré qu'il est trop faible, et qu'il *criera* et dira leur secret quand il sera torturé. Cette connaissance, que l'un et l'autre ont de François, tend à l'aliéner jusqu'à la pétrification finale. François perçoit cette manipulation extérieure qui ne cesse de le façonner, comme en dépit de ce qu'il est. Il n'a jamais su à quoi il s'engageait lorsqu'il a été pris par la « résistance ». Il a fait ce qu'on lui a dit : il a distribué des tracts; il a transporté des armes. Il a obéi aux autres, mais il n'a jamais décidé d'accomplir une action personnelle dont il aurait vu les causes et les conséquences. Dépendant plus de ce que les autres étaient et voulaient que de lui-même, il n'a pas conscience d'être coupable à présent; il est *innocent*, pense-t-il. Et ce qu'il fait maintenant, représente moins la réalisation de ce qu'il lui est possible de faire que celle de ce que les autres veulent qu'il fasse. Et ce qu'il accomplira lorsqu'il sera dans les mains des miliciens, se réalisera tout naturellement sans qu'il ait formulé un projet. Voudra-t-il parler? Sera-t-il lâche? Ces questions n'ont pas de sens. Ce qu'il fera sera *simple : ma bouche s'ouvrira d'elle-même, le nom sortira tout seul*, prévoit François. Et il sera d'accord, évidemment, avec sa bouche, avec l'acte qui s'accomplira, avec ce qui se passera à l'extérieur de lui-même. C'est la sœur maternelle et dévorante qui accélère et achève la pétrification du frère, elle qui connaît, mieux que quiconque, sa relation avec autrui et sa dépendance vitale. Elle rassemble, contre lui, les forces médusantes et exacerbe la Gorgone. Une dernière fois, François perçoit l'emprise qui le possède et le perd; il appelle en vain une force extérieure qui la compenserait; il *regarde* autour de lui, et surtout Henri, mais il ne voit rien d'autre, à travers ces visages, que son destin qui s'y reflète et sa propre mort.

Cependant François, vivant et mort, n'est pas dépourvu d'un certain pouvoir médusant. Il exerce souvent un rayonnement funèbre qui se retourne, d'ailleurs, contre lui puisqu'il est déterminé particulièrement par ses reflets extérieurs, par ce qu'il est chez les autres. Il provoque la parole négative et maléfique de Sorbier sur le village anéanti. Il suscite le discours paralysant des résistants sur la torture. Il transforme la présence de Jean, qui eût pu l'encourager, en un lieu de haine. C'est ce sentiment qui est lié à sa connaissance de Jean et qui appartient au regard gorgonien : *Moi, je te hais*, lui dit-il. Il porte Jean à se dénoncer... Et, quand il meurt *dans la rage et la peur*, il répand son regard venimeux sur tous les siens : *Je vous hais tous*. Ce n'est pas impunément qu'il les a ainsi regardés dans la nuit. De plus, la tête de la Gorgone morte conserve ses pouvoirs. La tête de François mort continue d'agir sur les autres, comme celle de Sorbier demeurait un foyer d'effroi. On remarquera que la tête, dans cette figure comme dans d'autres de ce drame du regard, est privilégiée. François la posait sur l'épaule d'Henri, avant de s'endormir, comme le rappelle Jean. Lucie la scrute, la prend ou la caresse. Henri la serre dans ses mains au point de l'étrangler. Jean l'observe à mesure que la mort l'envahit. Morte, elle est redoutable. Elle est un foyer où l'on prend le pouvoir de méduser. Jean la consulte, puis se retourne contre Henri et le paralyse. Henri, de son côté, se penche sur elle, puis neutralise Jean. D'abord intouchable comme un objet sacré, puis saisissable, elle constitue un centre de gravité qui attire les autres et qui les soude en un seul bloc : d'abord Lucie, puis Henri et Canoris. L'ensemble des quatre corps — les trois qu'on vient de mentionner, autour du noyau *dur* qu'est François — n'est pas seulement une agglutination mais une construction dans un être unique, où ce qui arrive à l'un atteint l'autre, et ce qui se manifeste en l'un se répercute en l'autre. *Nous ne faisons qu'un*, dit Lucie de cette constellation pétrifiée.

La mort de François n'a pas été voulue par lui; elle est une cassure, comme les autres *morts sans sépulture*. Mais elle est marquée par un refus violent et un regard de haine. Et, surtout, elle est voulue et déterminée, comme sa vie, par ceux qui l'accompagnent. Elle est l'œuvre de la connaissance la plus pénétrante et la plus complète.

*

Le *désert d'orgueil* de Lucie. C'est Jean qui qualifie, en ces termes, Lucie dans les derniers instants du dernier dialogue qu'ils échangent. Mais dans le manuscrit (f. 60), c'est Lucie elle-même qui se perçoit ainsi et qui le dit : *et je ne suis plus qu'un désert d'orgueil*. Cependant, la phrase y est biffée; et tout le feuillet 60, raturé et supprimé. Le f. 61 présente la leçon de l'édition. On peut définir la pétrification de Lucie par ce terme même de *désert* qu'elle se donne ou que Jean lui attribue. La pétrification de chaque résistant a ses propres modalités. On a vu la concrétion de Sorbier et le masque de Canoris, deux formes contrastées, puis les transformations d'Henri et de François, plus spectaculaires, soit par l'ampleur et l'intériorisation du phénomène et la scène de torture, soit par le pathétique et l'accomplissement du meurtre. La Lucie *désertique* est plus proche de ces deux derniers, François et Henri, par sa métamorphose fortement antithétique et l'exaltation des extrêmes. Elle est la seule femme; et, par l'intensité et l'extension du regard qu'elle jette en elle-même et sur les autres, François, Henri, Canoris, mais aussi Jean, et aussi les miliciens, elle est peut-être la plus pure Gorgone.

Lucie nous apparaît, dès le commencement du drame, comme une chose parmi les objets désuets du grenier : *Lucie sur le fourneau*. Cet état de chosification, qu'elle partage avec les autres résistants, manifeste la présence médusante des miliciens qui surveillent leurs prisonniers. Lucie est envahie par la peur d'être une chose parmi d'autres, dans la dépendance de l'autre, par la hantise d'être prise. Lorsqu'elle entend des pas dans le couloir et qu'elle voit la porte s'ouvrir, elle *se lève brusquement*. Elle est attirée par le regard ennemi qui la paralyse. Le moment le plus intense et le plus déterminant de sa pétrification est son viol. *J'étais de pierre*, dit-elle précisément. Les six mains qui la tenaient étaient celles qui éliminent la vie. Lucie ne les a pas senties, se durcissant, annulant leurs contacts, extérieure à leurs gestes. Insensible, indifférente, morte à ce qui n'était pas elle. Après le viol, elle demeure fixée dans cette négation et cette absence. Elle continue à écarter les mains des vivants; elle ne veut plus être touchée. *Ne me touche pas*, dit-elle à François. *Je t'en prie, ne me touche pas*, dit-elle encore à Jean. *Ne me touche pas*, lui répète-t-elle encore. Elle prend la place du corps inerte, du mort intangible. Et elle rejoint ceux qui viennent de mourir. Elle en est physiquement solidaire. Ce n'est pas parce qu'elle a froid qu'elle demande le *manteau de Sorbier* et qu'elle s'en *enveloppe étroitement*. Mais c'est parce qu'ainsi elle est plus proche de lui, qu'elle se substitue au mort et le présentifie. Lorsque François est étranglé, *Lucie se retourne et prend le corps [...] dans ses bras [...]*. De nouveau, elle prend en charge un mort, l'ajuste à son propre corps et le continue. Elle est la seule à pouvoir le toucher; et elle interdit aux autres de l'approcher comme elle ne voulait pas qu'on la touchât. Elle a des liaisons privilégiées avec ceux qui sont morts. Et elle sait quand les morts peuvent être impunément touchés par les vivants et qu'elle peut faire partager ses relations.

La pierre n'a pas de regard. Quand elle retourne parmi les résistants, elle n'a plus de regard pour ses amis : *elle passe [...] sans les regarder*. Elle se ferme sur elle-même, fuit les sollicitations extérieures et les contacts, qui sont des appels à la vie. Aussi, bien qu'elle ne regarde pas les autres, est-elle hantée par les regards : *ils me regardent?* demande-t-elle. Ce qui est inerte ne regarde plus; on le regarde. De fait, *Jean et Henri la regardent*. Cette absence du regard est particulièrement significative si on la situe par rapport à Jean, qui attendait le retour d'une Lucie qui n'aurait eu que des yeux pleins d'amour. Le vide des yeux signifie aussi le silence, la perte de la perception, de la sensibilité et des sentiments. Lucie ne sent *plus rien du tout*. L'état de *pierre* qui se manifeste en elle, au début du drame, se fixe, au moment du viol, dans sa forme définitive. Ainsi demeure-t-elle *de pierre* à la mort de François, à l'égard de Jean, et dans les débats où Canoris semble avoir trouvé une issue pour sauver leur vie.

On vient de voir que les résistants tuent François pour l'empêcher de parler. Mais il est comme normal que Lucie, qui est liée aux figures de la mort, accepte et veuille sa mort. Elle demande qu'on accomplisse rapidement le meurtre et n'éprouve aucune haine pour Henri qui a tué son frère. Aucune agressivité, aucune tristesse, rien. François lui-même ne l'émeut plus. Elle s'adresse à lui, *sans le regarder*, moins pour évoquer ce qu'il fut que pour affirmer ce qu'elle est, son être-en-soi, son être pétrifié. Elle constate son durcissement et sa sécheresse : *mes yeux sont secs [...] je n'ai plus de larmes*. Elle se voit exactement comme déjà morte, dans une comparaison avec François et ceux qui viennent de mourir; elle se voit comme une chose couchée, froide et abandonnée.

Elle est également *de pierre* à l'égard de Jean. Celui-ci la découvre si rigide et si *tendue* qu'il craint qu'elle ne se *brise*. Aussi se présente-t-il comme un agent de métamorphose qui pourrait apporter de l'aide et de la vitalité. Mais elle est si extérieure à ce cycle qu'elle dit à Jean : *nous n'avons plus rien de commun*. Pour elle, la vie n'a plus de valeur; or, pour Jean, elle constitue un domaine d'un grand prix, où il apparaît comme un homme incomparable. L'existence de Lucie est devenue très simple, élémentaire comme la matière ou comme la mort; elle a perdu la complexité des forces vitales, de l'être-pour-soi : plus d'appétence, ni de désir; plus de vertu, ni de courage. Qu'en est-il de l'amour, qui semblait lier si fortement Lucie à Jean? de cet amour qui brillait dans les yeux, qui éveillait un Jean lumineux et triomphant, qui rapprochait Jean de Lucie? Il n'y a plus d'amour en Lucie, qui est devenue *une autre*. Un glissement, un dédoublement s'est opéré en elle. Jean reste attaché à ces formes successives : heureuse, malheureuse; aujourd'hui, vivante; demain, morte; il perçoit en effet, malgré la métamorphose, la permanence de l'être identique à lui-même et auquel il demeure fidèle. Mais Lucie est désormais étrangère à elle-même, lui dit-elle, sans connaissance, arrêtée dans le temps, *bloquée*. Et cet état pétrifié néantise l'amour, qui n'a *aucune importance*, cette tendresse qu'elle avait pour Jean comme, d'ailleurs, pour Henri. Il y a, dans l'instant présent, un heurt et une cassure qui ont figé les mouvements de la vie et le temps. Le présent est donc vide. Et il annule le futur; et il supprime le passé et sa charge affective. Dans le passé, l'amour était projet et regard vers l'avenir; il était essentiellement attente : celle du soir, celle de la paix, celle du mariage, celle de la vie toute simple; il tendait vers ce terrible présent qui le nie. Il n'est plus rien. *Nous n'avons rien à nous dire*, dit Lucie à Jean. C'est alors que celui-ci constate, à son tour, l'immobilité et l'aridité qu'elle avait elle-même remarquées, et découvre que son cœur est *un enfer* et *un désert d'orgueil* : seule, sans souffrance, sans consolation, dans sa propre destruction.

Elle est aussi *de pierre* pendant les derniers débats de ses deux compagnons, qui s'interrogent sur leurs chances de ne pas mourir et l'intérêt de vivre. Elle *demeure silencieuse*, puisqu'il n'y a pas de dialectique possible. Il n'y a qu'un terme : la mort. Et, si Canoris souhaite l'engager dans la discussion et l'interroge, elle ne peut que lui répondre que tout est déjà arrêté, que *tout est décidé*. Le monde, qui lui est extérieur, est vide, comme le temps : elle n'a *plus de copains*, plus d'amis, plus de parents; elle n'aperçoit plus qu'un réseau humain et terrestre où *tout est empoisonné*. Et le poison est aussi en elle-même : sur sa *peau*, qui lui fait *horreur*; sur sa conscience, qui a *pris tout le mal*. Aussi n'éprouve-t-elle pas plus d'intérêt pour ce qu'elle est que pour ce qui lui est extérieur. Comme elle ne regrette rien en mourant au monde, elle n'a point de *remords*, nul sentiment de culpabilité. Elle est, dit-elle encore, *seule* et *sèche*.

Dans les trois cas (François, Jean, Canoris-Henri), elle est littéralement pétrifiée : matériellement élémentaire, désertique, sans aucun rayonnement humain. La Lucie désertique ne peut être atteinte que par une influence non humaine, physique. Par ailleurs, prise dans le régime de la chosification et dans l'affrontement de l'être-en-soi et de l'être-pour-soi, elle est soumise au renversement qui caractérise la nature et le regard sartriens. Le désert est transformé par l'élément physique qui lui est contraire et qui est la pluie. Le manuscrit, à la scène III du dernier tableau, n'indique pas la présence liquide. Cependant une évocation de souvenirs, au f. 87, pourrait contenir l'amorce d'une liquidité et l'expression d'une solution entrevue : *Pas même ce ciel pâle au-dessus de Tignes, l'hiver dernier? pas même la neige autour du lac? [...] Et ces mômes qu'on rencontrait, au printemps, assises sur un tronc d'arbre, devant la scierie. Elles nous souriaient au passage et ça sentait le bois mouillé.* Ces références au passé ne sont pas dans le texte définitif de l'édition. Dans le manuscrit (f. 88), le ciel qui prévaut n'est ni pluvieux, ni nuageux, c'est celui d'un jour radieux et d'une nuit fourmillante d'étoiles. Mais, dans l'édition, la journée se termine par une pluie violente, qui met aussi un terme à plusieurs mois de sécheresse. La pluie annule une double aridité : celle de la terre, celle de Lucie. Et surtout celle de Lucie. Entre la terre et Lucie, il y a une certaine correspondance. Avec la pétrification de Lucie, coïncident les signes d'une terre *sous le soleil* et les manifestations d'un orage qui se prépare : le ciel devient *noir, entièrement couvert*... Dès que la pluie touche la terre, *par gouttes légères et espacées d'abord puis par grosses gouttes pressées*, Lucie est atteinte et bouleversée : *Qu'est-ce que c'est?* se demande-t-elle. Et, comme si elle avait découvert le secret de son être, elle répond, *à voix basse et lente : la pluie.* Brusquement, elle passe de son état de *pierre* à un état nouveau; elle tremble; elle balbutie : elle renaît. Elle recommence à entendre le monde extérieur; elle perçoit *le bruit de la pluie*; elle sent l'odeur de *la terre mouillée.* Elle est envahie par la force de vivre; elle sanglote et elle pleure. On notera le rapport banal et précieux de la pluie et des pleurs, mais placé dans la dialectique de la viscosité fondamentale. Elle retrouve la mémoire : elle se souvient du temps qu'il a fait et de son ancienne ardeur à vivre. Elle retrouve la chaleur humaine et l'éclat du sourire. Non seulement les sens, la mémoire, l'instant euphorique, mais aussi la réflexion. Elle ne s'abandonne pas longtemps à une pure griserie, elle pense, et se pose des questions, et interroge ses compagnons : est-ce qu'ils font bien de vouloir vivre?

Ils veulent vivre. Mais ils vont mourir : encore un exemple de mort qui n'est pas voulue, qui n'est pas prévue, qui n'accomplit rien, qui ne justifie rien. L'euphorie est donc trompeuse; les regards qui sourient ne sont pas des regards qui voient juste. Derrière la fantasmagorie immédiate, il y a le regard des miliciens, l'œil qui tue, la triple salve qui abat les trois derniers résistants.

Lucie est *de pierre*, une forme médusée; mais elle est aussi une force médusante, aussi et surtout une Gorgone. Elle regarde en elle-même et autour d'elle.

Par le regard intérieur, où coïncident le sujet regardant et l'objet regardé, elle se pétrifie elle-même. Mais son regard n'a pas les caractères ni le pouvoir totalisant de celui d'Henri : il n'appartient pas au même système moral, ni à la même logique réflexive; il n'éveille pas la même culpabilité. Le paysage du passé et la conscience imageante, qui se sont manifestés chez Henri, n'apparaissent pas de la même façon. Le passé n'est pas pour Lucie une suite d'erreurs et de remords; le rêve n'est pas situé dans le sommeil, ni suivi d'un débordement dans le réel. La conscience du passé ramène des souvenirs d'affection et de tendresse. Et ce passé de tendresse agit encore sur le présent : Lucie demeure la grande sœur consolatrice. Mais ce passé encore radiant est soudain arrêté par un mouvement contraire. Lucie *se redresse brusquement*. Elle est saisie par le renversement qui caractérise la rythmique du drame du regard. C'est l'effet d'un regard intérieur instantané qui immobilise le passé et fige le présent, le regard qui désertifie : *L'angoisse m'a séchée. Je ne peux plus pleurer*. Le rêve éveillé de Lucie ouvre, dans le présent, sur un ailleurs simultané : elle voit Jean dans un autre lieu que celui où elle est, elle le voit dans un état exactement contraire au sien. Le fait que Lucie imagine une présence éloignée et antithétique, donne à la rêverie une lumière quelque peu aveuglante, un éclat saisissant et comme un étrange poids de réalité. L'image de Jean, qu'engendre le regard intérieur, est adéquate à ce qui pourrait être, à ce qui a été et qui sera; elle convient à un être radieux et libre. Elle répond aussi à un besoin de Lucie qui existe par rapport à cette figure qu'elle se fait de l'autre. La réflexion sur la rétine intérieure, qui déforme la réalité extérieure et immédiate aurait pu être divinatrice. Mais elle est fortement aberrante. L'image rêvée est anéantie par le regard extérieur. Soudain, Lucie voit Jean : *Jean*! Ce qui a été imaginé s'effondre naturellement : *Oh! Jean, tout est fini [...] à présent tout est fini*. La présence de Jean provoque l'émiettement du rêve. Le regard intérieur, qui éveille le passé et qui s'aventure dans le rêve, prépare par quelques figements un durcissement plus grand; il contribue à la pétrification produite par le regard extérieur des autres. Lucie se pétrifie en même temps qu'on la pétrifie.

Le regard de Lucie sur elle-même s'articule, comme le regard extérieur qui la circonscrit et qu'elle subit, en trois phases successives : antérieure, simultanée et postérieure au viol, qui est le temps fort de sa métamorphose en pierre.

Dans le tableau I, où elle commence à se chosifier, elle tend à se fuir elle-même jusqu'à se perdre de vue et à déserter son corps. Aussi a-t-elle une présence qui ne s'apparente qu'à la mort : ne pas se débattre, ne bas bouger, ne pas parler. Cette réduction et cette négativité sont partiellement les effets du regard qu'elle plaque sur elle. Elle se regarde à quelque distance et devient ce qu'elle veut être, exactement ce que le regard d'autrui pourrait faire. Elle se dédouble et se met à la place de l'autre la regardant. Le transfert réduit le corps au mutisme de la bête ou de la chose, parce qu'il le vide de ses facultés et de ses formes actives, mais aussi parce qu'il permet de se mettre à un foyer de forces positives, celles de Jean qui marche en vainqueur sur la route, et de se *voir avec* les *yeux* de l'autre qui lui est antithétique. Lucie emprunte à son égard ce regard d'autrui, qui est toujours un regard fixateur. Et elle ne cesse de se figer, au lieu de se fuir vraiment, par une réflexion qu'elle multiplie. Elle pense beaucoup; et toujours à autre chose que ce qu'elle est. Elle pense à ses compagnons, à ceux qui lui sont chers; elle les fait penser et pense à leurs pensées. Sa pensée violente et fragile, errante et aberrante, facile à renverser, contribue à renforcer sa métamorphose en pierre. Elle n'est qu'un faux-fuyant. Elle prend ses points d'appui sur la mémoire et la conscience imageante. Elle ressuscite le passé de Jean, les montagnes protectrices et les routes de la liberté, les résistants dans le combat; elle évoque les pins et la mer d'Arcachon, l'affection qu'elle portait à son frère. Et, sur ce passé récupéré, elle imagine ce qu'est le présent et ce que sera l'avenir, sans l'espoir de le saisir. Sa pensée est très proche de ce sommeil que Lucie trouve exemplaire. Elle abstrait du lieu où l'on est, elle immobilise le corps, elle endort ce qui n'est pas son propre mouvement, elle augmente l'être-en-soi. Et elle est très proche aussi du rêve qui n'est pas sans rapport avec le sommeil. (Le sommeil d'Henri, auquel se réfère Lucie, est exactement doublé d'une activité onirique.) Le rêve aussi est une fuite qui transforme, sans l'anéantir, le présent angoissant et terriblement puissant, et le diminue dans un reflux qui voudrait le perdre de vue. Cependant, à la différence du sommeil et du rêve, sa pensée répond à une stratégie de l'intelligence et surtout de la volonté; en fonction d'une finalité, elle choisit ce qui lui semble favorable, les points d'appui extérieurs, les souvenirs, l'anticipation; elle élimine ce qui lui serait contraire, l'acuité, la résonance de la torture, la peur de la mort.

Au tableau III, le regard de Lucie n'est pas exprimé directement au moment même du viol. Il est imaginé alors par Henri et Jean; il est ensuite remémoré par Lucie elle-même. C'est ainsi qu'on peut préciser la réflexion qui est simultanée au viol.

Les personnages peuvent se tromper lourdement quand ils essaient d'imaginer ce qui est en train de se passer en d'autres lieux, ou d'anticiper sur l'avenir. On le sait, mais on a constaté aussi qu'ils jouissent d'un étonnant pouvoir de divination. En effet, Henri et Jean devinent le viol de Lucie. Ils voient leur amie comme un objet dans les *mains* des miliciens. Ils perçoivent la scène, ce qui n'est que l'aspect extérieur mais qui est à la naissance de la réflexion de Lucie. Ils entrevoient ce qu'elle ressent, son humiliation, sa honte, sa souffrance. Cependant, les deux perceptions présentent quelques divergences. La divination de Jean est plus vive, plus spontanée; elle est celle d'un personnage fort, riche de vie, toujours vainqueur. Celle d'Henri, plus pénétrante et plus juste, semble-t-il; celle d'un personnage qui est dans la même situation que Lucie et qui est pris dans une même métamorphose. Sans doute, Jean devine ce que Lucie *pense* pendant qu'on la torture, mais il est convaincu que cette pensée prend appui sur lui-même, sur les liaisons affectueuses et amoureuses, sur le choix unique et absolu de le protéger : il fixe Lucie par rapport à lui. Henri perçoit, dans cette pensée et cette réflexion qu'il devine également, la présence plus accusée de la volonté, la décision de se taire, le triomphe de son silence qui anéantit les gestes agressifs, et la volonté de gagner par une victoire personnelle et collective. De son côté, François ne prévoit rien; il ne percevra pas non plus la force du regard ravageur de Lucie quand elle reviendra parmi eux. Il ne verra que les marques extérieures de la violence subie : les cheveux en désordre, la blouse déchirée. D'ailleurs, ces signes de défaite ne contribuent qu'à le décourager.

La divination de Jean et d'Henri est relativement fidèle à la réalité de ce qui se passe; toutefois la remémoration de Lucie est naturellement plus exacte; elle rappelle la réalité de ce qui vient de se passer, par fragments dispersés, suscités par le déroulement du discours et de l'action. On note deux temps forts : le premier, lorsqu'elle veut réconforter le pauvre François désemparé; le second, alors qu'elle stigmatise les miliciens. Dans un cas comme dans l'autre, on constate le pouvoir médusant qu'elle exerce sur elle-même et qui s'ajoute aux effets du regard d'autrui. En effet, elle se veut elle-même *de pierre*. Elle pense qu'*il ne se passe rien*; et cette pensée la rend insensible, transforme son corps en une masse inerte, en même temps qu'elle annule un acte qui s'accomplit comme en dehors d'elle-même. La pensée est portée par une puissante volonté. Non seulement elle suspend un acte qui ne lui convient pas, mais elle le met de côté, elle l'écarte tout en le conservant pour le retourner contre ceux qui l'ont accompli. Lucie a *voulu oublier*, mais elle est fière de se souvenir. Elle a une attitude autistique qui ignore ce qui n'appartient pas à son regard intérieur.

Le regard intérieurement réfléchi continue, après le viol, à absorber l'activité perceptive et s'oppose à toute extériorisation. Lucie est sans regard pour ses compagnons. Elle passe sans regarder Jean, ni Henri, ni François, qui ne sont que des présences relatives et des figures dépendantes de sa réflexion. Elle est prise par son idée fixe, ou plutôt par son image fixe : celle de Méduse qui se voit dans le miroir. Et elle accompagne cette absence de regards vers l'extérieur, d'une absence de paroles. Toutefois, le silence est comme modulé et parfois interrompu; il se transforme alors en une expression laconique ou en une intervention violente. Et, si elle parle, c'est pour découvrir et exprimer son visage de Méduse qu'elle regarde. On perçoit, dans son dire et son non-dire, une tension qui augmente vers la mort de François; on peut considérer les paroles qu'elle prononce *à voix basse* durant cette scène, comme une traduction sonore de la réduction de soi. Comme elle ne voulait pas voir ses compagnons, tout en constatant leur présence regardante, elle n'a pas de regard pour François au moment où on l'étrangle, elle *détourne la tête* et elle ne regarde pas le corps de son frère mort, tout en le tenant sur ses genoux et en lui caressant les cheveux. Elle pense exclusivement à elle-même. C'est cette réflexion qu'elle exprime à Jean dans un discours violent et *à haute voix*, cette fois-ci. Elle dit ce qu'elle est. Elle constate qu'elle a acquis un statut de chose et qu'elle est devenue un bloc sans passé ni avenir. Elle remarque sa désertification : ce *désert* qu'aperçoit Jean, mais qu'elle est la première à voir. Et elle considère comme nul et non avenu ce qui est extérieur à la Méduse de soi. De nouveau et d'une manière absolue, elle est dans le silence pendant la poignante discussion de Canoris et d'Henri pour savoir s'ils vont parler ou non. Elle se tait, comme elle se taisait avant et après la mort de François. Mais cette fois-ci, elle semble vraiment ailleurs; elle *paraît ne pas s'intéresser au débat*. Elle est dans son regard sur soi, qui est plus fort que la pesanteur des faits ou que la gravité des projets. Et si elle sort alors d'elle-même, de la clôture qu'elle s'est mise, c'est pour répéter que tout est déjà dit. Elle maintient ainsi sa logique du silence, qui est l'envers de son introversion, jusqu'à sa limite exactement physique, celle-là même que touche le ciel pluvieux et noir, et où s'élève l'odeur de *la terre mouillée*. Non seulement elle ne parle pas à ses compagnons, mais elle veut aussi qu'on ne dise rien aux miliciens, même pas des paroles fausses et aberrantes qui aboutiraient à la vie pour les résistants et à une forme de triomphe pour les miliciens. En deçà de cette vie, de cette frontière de pluie et de terre mouillée, elle est déjà comme morte et nulle, *déjà de l'autre côté.*

Méduse d'elle-même, elle est aussi Méduse des autres. C'est ainsi qu'elle nous est déjà apparue dans le réseau des regards qui médusaient les résistants. Mais il convient à présent de partir de Lucie pour observer, à son origine, la force redoutable de son regard, dans son jaillissement divers, et en suivre la trajectoire; il ne s'agit plus de constater ses effets dans la métamorphose d'autrui. Lucie, Méduse de ses compagnons, présente deux manières de regards, qu'on peut dégager du nœud de serpents de la Gorgone collective. Dans le premier cas, le regard s'attarde à un seul personnage et le tient dans sa prise : lorsqu'il s'arrête sur Sorbier ou sur Jean. Dans le second cas, il se divise en traits multiples et acérés qui atteignent plusieurs personnages : au moment du meurtre de François ou à la fin du drame. Ce regard pluriel se distinguerait du premier, qui est un regard singulier.

Le regard cherche le regard. Celui de Lucie prend celui de Sorbier et l'oriente. Il l'engage à *regarder* François, à *regarder* Henri; il le convie à une réflexion semblable à la sienne. Il lui fait voir le visage de François qu'envahit la panique, ou la figure du sommeil d'Henri, pour qu'il se taise. Il l'entraîne dans un état qui se ferme à ce qui se passe à l'extérieur.

Lucie nomme Jean dès qu'elle le voit : Jean! Par cette nomination, qui est une manière d'appropriation, elle le désigne à toute présence gorgonienne qui pourrait sommeiller. *Ils nous regardent peut-être*, remarque Jean qui est toujours attentif et prêt à la parade. Elle l'éloigne d'elle par ce même genre de regard qui l'avait naguère métamorphosé en figure lumineuse et présente. La distance actuelle lui permet de mieux *regarder* Jean, tout en lui faisant sentir sa prise par autrui et son élimination. La distance regardante de Lucie le maintient dans ses inquiétudes et ses peurs, l'arrête dans ses sentiments amoureux. Elle le situe au passé, en fait un personnage d'autrefois et lui rend son présent à elle, inaccessible : plus rien à se dire, plus rien à partager. Le *nous* désuet s'est disloqué en une dualité irréductible; et Lucie est devenue plus proche de ses ennemis qu'elle hait, que du compagnon amoureux qu'est Jean. Les deux ne sont pas dans la même situation. Aux yeux de Lucie, Jean joue un rôle; il accomplit des gestes qui imitent les siens, des gestes de simulacre, non les siens, à côté de ce qu'elle est. Et il ne peut absolument pas réduire les écarts qui séparent la spectatrice du comédien. Il se retire après le spectacle, selon l'usage, et se dérobe ainsi au regard de Lucie ; ce qui est dans sa nature d'échapper à la Gorgone.

Mais la Gorgone ne lâche pas sa proie quand elle s'empare de François. Ses premiers gestes sont trop attentifs et trop rassurants pour ne pas être quelque peu inquiétants : ce visage qu'elle frôle d'une main affectueuse, quoique enchaînée ; ce corps qui tremble de peur et qui se réfugie aux genoux de Lucie. Ces attouchements et ces caresses sont des leurres. Un terrible regard suit le mouvement des mains et va l'investir. Il désigne la victime : *c'est ton tour* ; mais, d'une manière inattendue, car ce n'est pas sous les coups des miliciens que François tombera, mais dans le rets meurtrier que tisse Lucie elle-même autour de son jeune frère. Et c'est bien son tour qui est arrivé. Elle se lève en l'interpelant : *François* ; elle se dresse contre lui et lui ordonne de voir Méduse : *regarde-moi*. Elle accompagne son ordre du geste de l'observation et de la possession ; elle prend François par la nuque et lui tourne la tête vers elle : *regarde-moi en face*. Elle n'aura plus qu'à le dévisager encore une fois pour le figer dans son aliénation et sa peur, et l'arrêter dans sa mort. Dans le même temps, en fonction de cet acte, elle est le regard pluriel qui détermine Henri et Canoris, et qui neutralise Jean. Elle déplie les gestes des premiers ; elle paralyse le dernier au point qu'il ne peut que laisser entendre la voix de l'homme qui vient de voir apparaître le visage de la Gorgone : *tu me fais peur !* D'un autre côté, les appels et les supplications que François adresse à Lucie ne nous trompent pas : *Lucie... Lucie...* Ce ne sont pas seulement des cris qui voudraient éveiller la tendresse et la pitié d'une sœur. Ce sont des recours pour arrêter le regard meurtrier et suspendre ses maléfices. François mort, Lucie *regarde* de nouveau ses deux compagnons et les rapproche du cadavre. Une triple Gorgone touche alors celui qu'elle vient de pétrifier et qui lui appartient.

Lucie est encore la présence qui immobilise les deux derniers résistants. Elle apparaît de nouveau comme le foyer d'un redoutable silence qui donne l'impression qu'elle ne s'intéresse pas aux mouvements du *débat*. Pour elle, aucune discussion ne pourra modifier ce qui a été dit, l'enjeu qu'ils se sont fixé. D'où ce regard qui jaillit du silence et de la fixité, et qui met mal à l'aise Canoris. Le regard de Lucie atteint successivement Henri et Canoris. Il n'est pas d'une agression soutenue et régulière contre Henri qui ne lui échappe pas. En effet, celui-ci, qui n'est pas insensible à l'argumentation de Canoris, reste tourné vers Lucie qui semble détenir le pouvoir de libérer ce qui est arrêté comme celui de tenir ce qui est mobile et changeable. Ce que Lucie nomme *des ma-*

nières, privilégie la gravité qu'elle exerce. Par trois fois, il se relie à la présence regardante de Lucie et exprime son aliénation. Une première fois, quand il n'a plus rien à opposer aux arguments de Canoris; une deuxième fois, lorsque Lucie sort de son mutisme pour se dresser contre ses deux compagnons; et une troisième fois, à l'instant où Canoris est désespérément menacé. Le regard de Lucie contre Canoris est plus manœuvrier et plus agressif. Il le dépouille de ses armes qui sont des arguments pour son nouveau projet, et le réduit progressivement à une réticence de la pensée et au silence. Il apparaît, dans les deux cas, étonnamment puissant et efficace. Il naît de l'être-en-soi, d'une chosification de soi, et se propage, sans solution de continuité, de la conscience vers le monde extérieur. De la pensée et du corps de Lucie, il atteint les liaisons et les échanges qu'il fige, et les éléments extérieurs qu'il maintient immuables. Il construit une totalité chosifiée, comme si la pierre engendrait la pierre.

Enfin, si Lucie est *de pierre* dans les mains des miliciens, elle est encore, et dans le même moment, la Gorgone qui contrarie leur geste et qui les effraie. Celle qui a figé sa propre conscience est capable d'atteindre ceux qui la tiennent : *je les regardais de face*. Le regard déplie à l'extérieur sa fixité intérieure : rien ne *se passe*. Mais il éveille chez l'autre l'épreuve d'être vu et la conscience d'être coupable. *À la fin je leur faisais peur*. Il y a dans ce geste, qui n'est pas une simple attitude mais une action, la volonté de culpabiliser ceux qui l'ont agressée, de renverser la *honte* et de la leur donner. Le regard, comme il s'est enchaîné à la culpabilité de soi, est étroitement lié à la connaissance de la faute de l'autre. Il y trouve un lieu de subsistance et un objet d'exaltation : c'est pour cela que Lucie espère *les revoir* et désire *voir leurs yeux aux aguets*. Cette dernière expression me paraît d'autant plus chargée de sens que Sartre l'a notée en marge du manuscrit, d'abord, et l'a intégrée ensuite, dans une reprise de rédaction, en un passage qu'il a particulièrement travaillé (f. 60). Lucie désire les atteindre là où elle les a déjà blessés et les place dans une faute qui ne cessera de s'aggraver. Son désir coïncide ici avec le pouvoir qu'a le personnage de deviner au moment où il ne voit pas. De fait, selon la divination de Lucie, Pellerin qui, plus que les autres, a humilié Lucie, est envahi d'un sentiment panique. Précisément, il ne voudrait plus revoir celle qui l'a vu, il ne voudrait plus être vu *aux aguets*. *La fille, tu aurais pu la laisser en haut... et qu'on ne les revoie plus*. Il ne peut supporter d'être dans la pensée de l'autre, d'être figé dans ce qu'il a accompli, de dépendre de l'autre et d'avoir conscience

3. PERSÉE OU CELUI QUI ÉCHAPPE AU REGARD

La mythologie nous présente Persée comme un héros : il accomplit des exploits, il réalise une œuvre glorieuse; il parvient à décapiter Méduse et à rapporter sa tête à Athéna; il réussit dans son entreprise, car il se dérobe au regard meurtrier. Dans une lecture mythique, Jean peut apparaître comme la figure de Persée. Dans une histoire aux épisodes divers et dans une description juxtalinéaire, en quelque sorte, le personnage sartrien est confronté, point par point, avec l'archétype grec. Il est essentiellement l'être que le regard ne pétrifie pas.

Persée a une naissance exceptionnelle. Acrisios, roi d'Argos et grand-père de Persée, consulte l'oracle pour savoir s'il peut avoir un fils. Le dieu lui annonce que sa fille, Danaé, aura un fils, mais que cet enfant le tuera. Acrisios, effrayé, enferme Danaé dans une chambre souterraine. Cependant, Zeus séduit la jeune fille; il pénètre dans la cachette, par une fente du toit, sous la forme d'une pluie d'or, et féconde Danaé. De cette union du dieu et de la mortelle, naît Persée.

Acrisios, qui ne croit pas que sa fille a été séduite par Zeus, se défait de la mère et de l'enfant. Il les met dans un coffre de bois qu'il lance sur la mer. L'embarcation flotte jusqu'au rivage de l'île de Sériphos. Un pêcheur recueille les deux naufragés et élève l'enfant, qui devient un splendide jeune homme. Un jour, le roi de l'île, Polydectès, invite à un dîner les princes et le jeune Persée. Celui-ci promet de lui offrir comme cadeau la tête de la Gorgone.

Durant ces premières épreuves, le jeune héros manifeste une force vitale qui triomphe des obstacles et de la mort. Il est épargné par

Acrisios, qui ne tue que la nourrice comme complice. Il n'est pas englouti par les flots. Il est adopté par un pêcheur qui lui est étranger. Il fait preuve de vaillance au point d'être accueilli parmi les princes de l'île. Cette exaltation de la vie convient justement à l'ancêtre d'Héraclès. Elle se joue de la vie banale; elle défie la sagesse; elle construit son destin. La force de vie du héros se dresse précisément contre les Gorgones qui transforment les formes vivantes en pierres et répandent autour d'elles la mort. Le héros apparaît aussi comme une figure lumineuse et solaire. Il est tout naturellement marqué par son origine. Il est le fils de Zeus, le dieu de la lumière, du ciel clair et de la foudre. Et il est né de semences divines descendues dans une pluie d'or. Par ailleurs, il parcourt une trajectoire solaire lorsqu'il quitte l'île de Sériphos pour aller vers les Nymphes du Couchant et les Gorgones qui demeurent à l'Extrême-Occident. Et il est un délégué de la lumière quand il s'engage dans l'exploration du royaume de la nuit et dans son combat avec les habitants des ténèbres.

Cette force de vivre n'est pas une force absolue qui s'oppose à une autre également absolue; elle est moins manichéenne que dialecticienne; elle s'adapte et elle progresse. Le héros demeure libre, disponible, apte à s'engager dans d'autres situations. Dans son entreprise, Persée est assisté par Athéna et Hermès, divinités qui contribuent à qualifier sa démarche et à le faire triompher des obstacles. La déesse, le dieu et le héros sont, tous les trois, des descendants de Zeus. Athéna est née, tout armée, de la tête de Zeus. Elle est la déesse de la raison. Elle intervient auprès du héros, comme elle le fait dans les aventures d'Ulysse et les exploits d'Héraclès. Sa protection signifie le concours que l'intelligence prête à la force brute et à la valeur personnelle; elle symbolise encore l'activité adroite et combative, que couronnent la victoire et la paix. Hermès est le fils de Zeus et de Maia. Il est d'une habileté étonnamment précoce et diversifiée. Le jour même de sa naissance, il défait ses langes, dérobe un troupeau à Apollon qui néglige ses devoirs de pasteur et fabrique avec une tortue la première lyre. Plus tard, il invente la flûte de Pan; il conclut un marché avec Apollon, qui désire ce nouvel instrument de musique; il acquiert ainsi le caducée d'or et le pouvoir divinatoire. Dieu du commerce et interprète de la volonté divine, il met au service du héros son activité ingénieuse et son astuce intarissable.

Jean apparaît comme une présence supérieure. *Il y a « quelqu'un »*..., dit Lucie qui pense à lui. Le caractère italique employé pour désigner ce *quelqu'un* glorifie dans le texte même la présence de Jean et lui donne l'éclat d'une divinité qui se joue des limites et des divisions de l'espace. Jean réside, semble-t-il, sur les sommets qui dominent les agglomérations des hommes et les routes. Son Olympe est *le Vercors*. Et c'est de là qu'il *descend à travers la forêt*, comme un être souverain; il *descend* vers la ville et entre dans le monde inférieur des rues et des terrasses de cafés. Ce mouvement de descente, qui semble ignorer la chute et qui manifeste une supériorité bienveillante, met en valeur son origine, ses points de départ élevés et son rythme vital. *Demain, tu descendras vers la ville*, lui redit Lucie.

Jean est animé d'une puissance de vivre qui surmonte les obstacles. Celle-ci apparaît substantiellement la même, mais diversement accentuée dans deux cycles. Le premier se définit par exclusion au milieu gorgonien qu'on a décrit : il est extérieur au grenier et, dans le temps, antérieur et postérieur à sa situation dans le grenier. Il est d'une grande durée; mais on n'en connaît ni l'origine, ni la fin. C'est le temps où s'exaltent son énergie et son extrême mobilité, le lieu auquel il appartient. Le second cycle est celui du grenier gorgonien; il est d'une très brève durée : le temps de l'arrestation; textuellement, le temps qui va de la fin du premier tableau à celle du troisième tableau. Dans le grenier, Jean ne tient pas *en place; il marche;* il *tourne autour d'eux*. Il ne peut s'empêcher de se mouvoir. *Tu remues, tu t'agites : tu es trop vivant*, lui dit Henri. Et lui-même est bien conscient de cette force vitale qui échappe aux limites et aux prises. *Je vais vivre*, affirme-t-il. Puissance souveraine, il la dresse comme un défi contre tout ce qui n'est pas lui, l'ordre établi des miliciens et la métamorphose pétrifiante des résistants. Le *quelqu'un* qu'il est s'affirme en une force antinomique de la chose : la personne rayonnante et mobile contre la chose immobile. Et il est un être ouvert qui rejoint les manifestations éparses et infinitésimales de la vie. *Je serai là*, dit-il à Lucie, qui n'est presque plus que de pierre; et *je suis avec toi*, à François, en qui il perçoit un sursaut de vie et de mépris pour les visages *crispés* et les *airs maniaques* de ceux qui se pétrifient.

Jean est surtout une figure de l'extérieur, un être lumineux, solaire. Ce qu'il est naturellement, correspond à l'image qu'évoque Lucie, quoique celle-ci dérape alors sur la réalité immédiate. Il vient de ces montagnes où *brille* le soleil. Il descend vers la vallée et la ville par une *belle après-midi d'été*. Il est enveloppé des rayons de cette lumière resplendissante qui est son élément. Et il *regarde* les détails du paysage, l'arbre de la montagne, le peuplier de la route, mais aussi les parties de la cité, la grappe humaine de la terrasse et les visages des hommes. Sa solarité contraste avec la nuit du grenier : Jean, plein de lumière, *cligne des yeux pour s'accommoder à la pénombre* quand il pénètre dans le lieu obscur. Son passage dans le grenier ténébreux ressemble à la traversée des ténèbres souterraines par le soleil; celui-ci, chaque nuit, disparaît dans les enfers et reparaît à l'aube, sans qu'Hadès l'ait marqué, toujours le même. Le séjour de Jean dans le grenier coïncide avec la fin de la journée et un moment de la nuit. Dans les ténèbres, autour des résistants, il *tourne*; il ne meurt pas, il se meut. À l'aube, il sera dans les montagnes où *brille* le soleil.

Sa vitalité, sa solarité ne sont pas incompatibles avec le sens de l'adaptation, l'habileté et la sagesse. Jean sait cacher son identité aux miliciens qui l'ont arrêté sur la route de Verdone : faux nom, fausse adresse. Il sait se protéger. Ainsi, il leur échappe : *ils ne m'ont pas encore*. De plus, il jouit, pendant qu'ils procèdent à une vérification, d'une liberté relative mais qui est exceptionnelle par rapport aux prisonniers. Il n'a pas été brutalisé; il n'est pas entravé : *il n'a pas de menottes*. Il est honteux d'avoir de tels privilèges, mais il peut accomplir les gestes qu'il désire : par exemple, il offre une cigarette à Henri; il la lui allume; il déplace le fourneau sous la lucarne parce qu'il veut voir le cadavre de Sorbier. Il a donc *les mains libres*. Et cette liberté des mains représente un pouvoir souverain, réduit, quelques heures, mais qu'il peut encore exercer. Elle lui permet d'intervenir et de retenir les résistants qui vont assassiner François : *Vous ne le toucherez pas*, leur dit-il. On ne le touchera pas tant qu'il maintiendra sa défense. Il agit aussi avec prudence : *Ne prononce pas mon nom*, dit-il à Lucie. Il évite les faux pas; il déjoue toute éventuelle manœuvre des miliciens : *Viens là contre le mur; ils nous regardent peut-être par une fente de la porte*. Il veut passer aux yeux de ses ennemis pour un simple villageois de la vallée. C'est ainsi qu'il a *toutes les chances* de se sortir du grenier dans lequel il est mis. Il est habile jusque dans sa sagesse. Il suit une démarche circonspecte qui n'est pas dépourvue de cruauté pour les autres, ni de souffrance pour lui. Doit-il se dénoncer et arracher ses amis à la torture? Mais qui préviendra les autres résistants? Qui sera le chef du maquis? Il préfère se taire. Et on se tait. Doit-il sauver François et risquer d'être trahi? Ou rejoindre le nouveau groupe de résistants qui va arriver au village? Il choisit cette deuxième issue. La sagesse pour Jean est de sauver sa propre vie pour commander le maquis du Vercors et abandonner ses amis prisonniers à la torture et à la mort.

*

La promesse faite à Polydectès engage Persée dans les séquences les plus héroïques de sa vie : il se prépare à rencontrer les Gorgones; il tue Méduse; il emporte la tête. Aux exploits gorgoniens, il en ajoute d'autres jusqu'à ce qu'il s'installe dans un royaume nouveau. Dans son entreprise, il prévoit, il construit son chemin, il réalise l'œuvre qu'il a projetée. Et si le héros manipule la mort, il assure son propre triomphe et la montée de la vie.

Il se prépare à affronter les Gorgones en deux étapes : il s'instruit; il s'équipe. D'abord, il va trouver les trois Grées pour connaître le chemin qui le conduira vers les Nymphes. Les Grées n'ont qu'un œil et une dent qu'elles se passent. Persée s'empare et de l'un et de l'autre, et refuse de les leur rendre si elles ne lui indiquent pas le chemin. Il se procure ensuite chez les Nymphes l'équipement dont il a besoin : des sandales ailées, une besace et le casque d'Hadès. Hermès l'arme alors d'une serpe. Chacun de ces objets est utile et répond à un usage bien précis. Les sandales rendent possible le combat aérien : les Gorgones volent. La besace peut servir à transporter la tête de Méduse. Le casque rend invisible. Et la serpe en acier dur, qui est un outil de la campagne et de la terre, est l'arme qui tranchera le cou d'écailles de la Gorgone.

Tout étant prévu pour la réalisation, Persée livre le combat. Il surprend les Gorgones pendant leur sommeil. Assisté de la déesse de la Sagesse et du dieu de l'Ingéniosité, il attaque Méduse, la Gorgone par excellence et la seule qui soit mortelle, dans une lutte aérienne. Athéna tient, au-dessus de l'ennemie, un bouclier de bronze poli qui forme miroir. Persée, ainsi protégé, décapite Méduse; il met ensuite la tête coupée dans la besace. Poursuivi par les autres sœurs immortelles, il s'enfuit, invisible et invulnérable. Héros meurtrier, il vient de tuer; il continuera de tuer.

Mais la tête de Méduse continue à vivre; et elle conserve son pouvoir pétrifiant. Elle est un double foyer de vie et de mort. Et l'existence de Persée semble animée par les mêmes pulsions. Le héros, qui tue Méduse, parfait en même temps la gestation des deux êtres qu'elle porte et qu'a engendrés Poséidon. De la tête coupée, naissent Pégase, qui sera au service de Zeus, et le géant Chrysaor, qui engendrera le géant Géryon aux trois têtes, vaincu par Héraclès : double naissance contrastée. On retrouve la dualité de la vie et de la mort dans les qualités du sang qui coule de la tête et que recueille Persée. Le sang de la veine gauche est un poison mortel; celui de la veine droite est un remède capable de ressusciter les morts. C'est avec ce sang qu'Asclépios ramène à la vie de nombreux morts. Persée lui-même utilise le pouvoir bivalent de la tête de Méduse. Sur le chemin du retour, en Éthiopie, il découvre Andromède liée à un rocher et menacée par un monstre marin. Il la délivre et s'apprête à l'épouser. Mais les parents de la jeune fille ont changé d'avis et, sur l'instigation de l'oncle frustré de ce mariage, fomentent un complot. Il montre la tête de la Gorgone au père d'Andromède, à l'oncle et à leurs complices, et les transforme en pierres. C'est ainsi qu'il arrache à la mort celle qu'il aime et qu'il frappe de mort ses ennemis. Un autre épisode où il accomplit les mêmes gestes antinomiques. Le roi Polydectès, à qui il avait promis la tête de Méduse, voulut s'emparer de Danaé par la force. La mère de Persée dut se réfugier auprès des autels, avec le pêcheur qui l'avait, autrefois, accueillie. Persée transforme de nouveau en statues de pierre Polydectès et tous ses amis; et il libère sa mère et son père adoptif qu'il place sur le trône. Il tue et il redonne la liberté de vivre. Enfin, il remet à Athéna la tête qui pétrifie et qui ressuscite.

Les derniers faits de sa carrière héroïque, qui ne nous sont connus que sous la forme de la conquête du pouvoir et de l'instauration de son trône à Tirynthe, montrent encore le combat incertain de la vie et de la mort, mais toujours le triomphe du héros. Persée désire retourner à Argos et revoir son grand-père Acrisios. Mais celui-ci redoute l'oracle et se réfugie à Larissa. Or, dans cette ville, des jeux sont organisés, et le héros, qui y participe, lance son disque qui, par accident, atteint mortellement Acrisios. Persée, profondément malheureux, ne veut plus se rendre dans sa patrie et échange le royaume d'Argos contre celui de Tirynthe.

Figure perséenne, Jean est aussi l'auteur d'actions diverses qu'il prévoit, et qui assure son triomphe personnel; il est aussi l'artisan ambigu qui supprime des formes vivantes et qui en suscite d'autres dans la confrontation de Thanatos et d'Éros.

Il est le *chef*. Il déploie sa force et son autorité dans l'espace du Vercors, de ses montagnes et de ses vallées, de ses bourgs et de ses villes. Mais aussi dans un temps qu'il rend cohérent, dans une durée où il recueille ce qui est nécessaire du passé et du présent pour construire son œuvre à venir. Il apparaît le *chef* quand il rencontre ses compagnons au grenier. En quelques secondes, il fixe une situation. Il constate ce qui est arrivé dans l'attaque du village. Il regarde ceux qui n'ont pas été tués;

il les dénombre; il pense à ceux qui sont morts. Il ne cherche pas à savoir pourquoi ils ont échoué; il rêve à d'autres projets, à d'autres plans d'action. Il est constamment entraîné vers une œuvre qu'il voit à l'avance. Un bon exemple de ses prévisions est sa libération. Il a pensé qu'il pouvait être arrêté par les miliciens et identifié. Aussi a-t-il prévenu des amis de Cimiers pour qu'ils fassent le nécessaire s'il était pris : il leur a demandé de dire aux miliciens qu'il était un paisible habitant du bourg. Jean arrêté, l'opération se déroule comme il l'a prévue. Les miliciens, après vérification à Cimiers, le libèrent. Un autre exemple de son esprit organisateur et clairvoyant : le plan de la grotte de Servaz. Jean l'expose à ses compagnons. Il va traîner le cadavre de Pierre dans la grotte et mettre, dans la veste du partisan mort, quelques papiers révélateurs. Les prisonniers n'auront qu'à indiquer la cachette aux miliciens qui prendront le cadavre pour Jean. Dans ce cas, il établit son projet avec rapidité et minutie; en un instant de réflexion, il a tout vu : les données initiales, l'enchaînement des actes à faire, le calcul du temps nécessaire, les réactions des miliciens et les conséquences. Et la pensée organisatrice ne cesse d'être active et, si une erreur se glisse dans l'exécution d'un plan, elle propose tout de suite des solutions de rechange et des jalons de victoire prochaine. L'attaque du village a échoué. Qu'importe. *Nous recommencerons ailleurs*, dit-il. Ou bien des ripostes redoutables : *Je reviendrai. Dans huit jours, dans un mois, je reviendrai. Je les ferai châtrer par mes hommes* (châtiment qui n'est pas sans analogie avec la décapitation de Méduse).

La mort accompagne Jean dans sa vie et son œuvre, en particulier dans la résistance, qui constitue son entreprise la plus héroïque. Meurtrier volontaire ou non, Jean sème autour de lui la mort. La femme qui s'est unie à lui *est morte en couches*, morte elle-même, et morte cette vie qu'elle portait. Chef des maquisards, il ordonne des actes qui tuent et qui déclenchent d'autres morts. La première grenade lancée, meurtrière, est suivie de l'exécution de douze otages : parmi eux, un enfant, comme si la mort s'en prenait aux promesses de vie. Il a décidé la prise du village. Mais les maquisards ont échoué. Deux d'entre eux sont tués. Mais aussi *trois cents* villageois : *ils sont couchés entre les pierres et le soleil les noircit*... Dans le village, il n'y a plus que *des murs et des pierres*. La mort y a frappé *des enfants et des femmes*, et cette *petite de la ferme*, prise par les flammes et hurlante. (On remarque des dégâts plus considérables dans une indication non raturée du manuscrit : trois mille cadavres épars dans les montagnes du Vercors.) La réalisation de l'œuvre crée, en tout cas, un désert de pierres et de corps pétrifiés, digne d'être un paysage gorgonien. Elle est aussi la cause de la mort des cinq résistants : suicide, strangulation, exécution par les armes. On voit évidemment ces *morts sans sépulture* comme en gros plan dans le drame. Enfin, elle n'épargne pas les miliciens. Et Landrieu n'en sera pas surpris : *D'abord faut qu'on y passe, demain, après-demain, ou dans trois mois*. Il se cachera avec les siens dans une *cave*, qui n'est pas sans rappeler le lieu gorgonien du grenier; et une grenade suffira à mettre fin à leur vie.

Jean, semeur de mort, est aussi un porteur de vie. On a noté que sa vitalité le poussait à rejoindre les moindres manifestations de vie. Et ses réactions naissent de sa perception du combat de la vie et de la mort chez l'autre. C'est une Lucie humiliée et tourmentée qui exalte ses sentiments amoureux, comme Andromède torturée stimule l'amour dans le cœur de Persée. C'est un François, en proie à la terreur de la mort, qui provoque sa vive intervention. Mais cette affirmation vitale, il la veut utile, rayonnante. Et les résistants sont là pour lui dire qu'elle est, en effet, efficace et réconfortante. *Je suis content que tu sois là*, lui dit Henri. Il est non seulement un *témoin*, mais une présence agissante, dont les moindres gestes ont un profond retentissement. Une seule cigarette qu'il offre donne à Henri tant de *plaisir*. Une présence dont la chaleur réconforte ceux qui souffrent et qui vont mourir : sans elle, tout serait si *glacial*. Une présence qui anime les pensées et les actes des maquisards, qui les oriente et qui apparaît comme une finalité. *Mais tu es là, et tout ce qui va se passer à présent aura un sens*, lui dit encore Henri, qui ne parle pas seulement pour lui, mais pour les autres aussi qui sont dans la même situation. Tant qu'ils sont tous vivants, une sorte d'osmose s'établit entre eux et converge vers Jean. Cependant, c'est Lucie qui exprime le mieux son emmêlement existentiel que couronne une transcendance humaine. Lucie *pense* à Jean. Elle construit ce qu'elle est et ce qu'elle fait en fonction de ce qu'il est et de ce qu'il fait. Jean, de son côté, perçoit le poids de cette pensée : *elle pense à moi [...] elle ne pense qu'à moi. C'est pour ne pas me livrer qu'elle endure les souffrances et la honte*. Lucie existe avec Jean, qui emplit son être; elle vit avec lui; elle voit avec ses yeux; elle *pleure avec ses larmes*. Elle devient celui par qui elle est et par qui elle vit. Non seulement elle existe pour Jean, mais avec lui et par lui. Et c'est ce que Jean exige lui-même; il demande à Lucie de ne pas exister par elle-même, mais par lui. Jean apparaît comme la cause et la fin de l'existence des autres. À la mort des résistants, il continuera ce que leur vie a entrepris, et liera ce qui est mort à ce qui est encore vivant; il affirmera une présence vivifiante qu'auront activée les morts successives. Lucie prévoit cette continuité vitale de Jean : *il ira trouver les autres; ils recommenceront le travail ailleurs*. Et Jean le confirme. Il ira *prévenir* les soixante *copains* pour leur dire ce qui vient d'arriver et ce qu'ils doivent faire. Il ira *voir les parents* de Sorbier. Il écrira *à la femme de Canoris*. Mais il y a plus que d'être un messager et de rendre des services aux vivants. Il y a plus que de continuer une œuvre que la vie a commencée et que la mort a suspendue. Jean, qui n'a pas le pouvoir de ressusciter les morts, portera en lui, dans la vie, ceux qui sont morts, comme Persée porte la tête encore vivante de Méduse morte. Lucie morte n'existera plus qu'en Jean. L'osmose vitale aura abouti à une identité unique. Lucie ne sera plus que Jean. Il emportera, dans ses yeux à lui, son *dernier visage vivant* et il sera *le seul au monde à le connaître*. C'est dans sa pensée et sa mémoire et ses gestes qu'elle continuera d'exister, et là seulement. Elle survivra en Jean. Et sa survie sera égale à la vie de Jean. *Si tu vis, je vivrai*, lui dit-elle. Jean prend en charge vivante ceux qui meurent ou qui vont mourir. Il veut *revoir* Sorbier mort, *avant que la nuit tombe*. C'est à lui qu'on laisse *les morts*. *Les oraisons funèbres, c'est Jean que ça regarde*. Il observe François au moment où il meurt, étranglé par les mains de ses amis : *Je reverrai tous les jours ce môme*. Tout comme Lucie, Sorbier et François, morts, continueront d'exister en Jean. Fort de sa transcendance, il pourrait dire à chacun ce qu'il a dit à Lucie : *nous serons un couple [...] nous porterons tout ensemble, même ta mort*.

*

La puissance vitale, le savoir, la faculté de prévoir, le pouvoir de tuer et de faire vivre aident le héros à échapper au regard meurtrier. Invulnérable et seul, il porte un masque, équilibre des regards.

Persée fuit les regards qu'il a suscités : il apparaît et il disparaît. Il se sépare d'Acrisios et quitte Argos. Et ce qu'il laisse une fois demeure définitivement écarté : à son insu, il tuera même Acrisios, et le royaume d'Argos ne le verra plus. Il arrive à l'île de Sériphos. À la cour de Polydectès, il se distingue des jeunes princes; il provoque l'étonnement par la singulière promesse d'offrir la tête de Méduse. Et il s'en va de l'île. Seul, il s'engage dans l'aventure qui le conduit au royaume des Gorgones dans l'Extrême-Occident. Il rencontre les Grées, s'empare quelque temps de leur œil unique et reprend la route. Il visite les Nymphes et les quitte. Il combat les Gorgones et il s'enfuit. La tête de Méduse, qu'il porte dans sa fuite, prolonge et augmente sa solitude puisqu'elle continue à heurter et à supprimer ceux qui s'opposent à ses desseins personnels. Dans cet enchaînement de gestes et d'actions, il semble interpréter le rôle d'un être qui s'affirme avec éclat et qui se dérobe avec une aisance souveraine : il est derrière un masque. Le masque fixe la rythmique de l'exaltation et de la fuite du regard. Il est d'abord une surface privilégiée de l'être qu'observe et envahit le regard de l'autre, l'objet par excellence, et la limite la plus précise et la plus extérieure d'autrui. Mais il est surtout l'enveloppe d'un deuxième visage qui protège le vrai visage et qui lui permet d'échapper au regard agressif qui pétrifie et qui tue. Il est alors le lieu du contre-regard et du non-regard, en ce sens que le premier et vrai visage devient invisible. De plus, le masque, qui efface les yeux, demeure une présence regardante. À l'entrecroisement de deux regards, l'un y trouvant sa fin et l'autre, son point d'appui et de jaillissement, il est aussi le foyer qui suscite l'effroi et qui répand la mort. On comprend que Persée ait été fasciné par le masque exemplaire de la tête de Méduse et qu'il ait voulu l'offrir à Polydectès. Instruit par les dieux, qui sont des maîtres de la mascarade universelle, il sait qu'il ne peut affronter Méduse et s'emparer du Masque incomparable qu'elle est, que s'il est lui-même masqué. Il coiffe le casque d'Hadès qui le rend invisible, et, ainsi protégé, se livre au combat avec Méduse. Il oppose masque à masque : celui de l'invisible contre celui du regard. Devant Méduse regardante, il apparaît non comme une présence regardée, mais comme la présence d'un visage invisible. Il laisse ainsi passer le flux du regard. Il laisse Méduse se regarder dans le miroir que forme le bouclier de bronze poli tenu par Athéna. Il la laisse en proie à son propre regard pétrifiant. Toujours invisible, il fuit les regards des deux autres Gorgones immortelles, qui le poursuivent en vain et qui ne voient que la tête coupée de leur sœur. Redevenu visible, il retrouve son visage, mais il se place derrière le masque de Méduse. On a vu les terribles exploits qu'il commet en Éthiopie et à l'île de Sériphos. Alors qu'il a remis le masque à Athéna, qui en orne son égide, il continue à accomplir de cruelles actions comme s'il tenait encore à la main la terrible Méduse.

Mais les ravages effrayants que Persée fait dans la réalisation de son œuvre sont moins importants que l'exploit d'affronter le regard des Gorgones et de s'y dérober. C'est aussi le caractère principal de Jean.

Il apparaît comme une présence masquée qui exalte et qui arrête le regard.

Lucie prête un masque à Jean, à son insu, puisqu'il est alors absent; elle le pare, à distance, d'apparences imaginées et l'isole dans un au-delà du regard. L'affublement est celui du Jean glorieux qu'on a déjà évoqué. Il le présentifie et le cache. Et il le maintient distant moins parce que Jean est absent que parce qu'il en est différent... Jean *descend à travers la forêt...* il *doit être arrivé à Grenoble [...] Il doit se sentir drôle : la ville est calme, il y a des gens aux terrasses des cafés et le Vercors n'est plus qu'un songe...* Le déguisement que lui impose Lucie en fait un être global, vaporeux, léger, clairsemé. (Sartre donne ces caractères à tout objet imaginé ou irréel.) Ce masque irréel, né de la rêverie de Lucie et d'un jeu de comédie que perçoit François, tombe quand le personnage réel paraît. Mais sa disparition ne manque pas de laisser des traces; et, non point étranger au précédent, un nouveau masque se forme, au moment exact où le personnage se présente au regard et craint d'être vu par l'ennemi : *ils nous regardent peut-être...* Jean est un maître dans l'art du masque. Il sait, mieux qu'un autre, ajuster à son visage la parure qui le protège et lui permet de fuir. Il sait jouer brillamment le jeu de l'être et du paraître. Par exemple, dans la scène de la torture feinte. Cette fois-ci, selon une inversion des rôles, c'est Jean qui imagine Lucie; il construit en lui ce qui se passe à distance de lui et le projette à l'extérieur, au devant du regard de l'autre : il y a *pensé cent fois*, il a *tout ressenti par avance*. Et cette fois-ci, c'est Lucie qui est témoin, qui est consciente du jeu de l'autre et qui perçoit que Jean est un acteur. *Allons, c'est une comédie*, dit-elle. *Elle rit*; elle *éclate de rire*. Quel est le spectacle joué par Jean? Quel masque présente-t-il à Lucie? Jean feint la douleur de l'autre. Il n'en a pas subi la réalité? Qu'à cela ne tienne. Il étale sa main gauche et la frappe avec un chenet. La douleur est *à la portée de tous*, dit-il. C'est facile. Oui, mais c'est raté, *raté*, dit Lucie en riant. Ce n'est pas de cette même douleur qu'elle souffre. Pour Jean, la douleur est un geste dont il a l'initiative, une attitude qu'il prend, un masque qu'il choisit de se mettre. En effet, Jean n'est pas dans la même situation que Lucie : il est orgueilleux de vivre, il est vraiment vivant; et elle est orgueilleuse de mourir, elle est déja prise par la mort. Il est à côté de Lucie et ne peut partager ce qu'elle ressent et ce qu'elle éprouve; il imite ce qu'elle fait. Sans plus. Il n'est pas soumis à la volonté extérieure d'un bourreau. Sa souffrance n'est pas imposée par d'autres; jamais, elle n'est un *viol*. Et s'il exagérait ses gestes et les coups qu'il se donne (*tu peux te casser les os, tu peux te crever les yeux*, lui dit Lucie), il ne ferait que creuser la différence et accuser son rôle d'acteur. *Tu ne nous rattraperas pas*, lui assure Lucie. Jean reconnaît qu'elle a raison. Aussi jette-t-il son masque de la douleur jouée. Le comédien s'efface et disparaît au regard : *je suis seul*. Il a fini de gesticuler : *je ne bougerai plus*. Il a achevé de dire son rôle : *je ne vous parlerai plus*. C'est la fin de son spectacle : *j'irai me cacher dans l'ombre*. Il quitte Lucie et les deux autres résistants, et il les regarde *avec une sorte de désespoir* : c'est sa sortie de comédien.

Sans doute, Jean est un grand acteur. Nous venons de le voir jouer. Et nous savons qu'il existe sous de faux noms et de fausses identités; il se fait passer pour un villageois; il fait croire qu'il est un résistant mort. Mais la succession des masques est moins importante que le fait d'échapper au regard pétrifiant. Le masque indique que le personnage est situé sur la ligne d'affrontement des regards, du regardé et du regardant. Jean est sensible à l'épiphanie redoutable du regard de l'autre. Quand il entre dans le grenier, il a la précaution de se placer contre le mur pour éviter le regard qui pourrait passer *par une fente de la porte*. Le regard ne jaillit pas toujours directement d'un œil, il le sait. Le lieu du grenier n'est pas neutre, mais constitue un relief oculaire dont il doit se méfier. Et il remarque qu'une porte disjointe peut être une présence regardante. Aussi réagit-il vivement et veut-il esquiver un danger possible. Il s'adapte au milieu comme il ajuste un masque. Dans le grenier, il est pris dans un mouvement de flux et de reflux qui le font voir et qui le font disparaître. Parfois, il semble se dissoudre dans un lieu qui semble sans regard à son endroit et amorphe. Parfois, il émerge du réseau qui se tend et converge vers lui : il apparaît ainsi, brusquement, au regard de Sorbier. La rythmique d'être vu et de ne pas être vu n'aboutit pas à une pétrification définitive. Jean se dégage rapidement de la présence regardante qui commence de le pétrifier. On peut vérifier le phénomène dans trois cas précis.

Dans le premier cas, Jean vient d'être saisi par le réseau visuel du grenier. Il se sent menacé. Il redoute le regard de Canoris, qui pourrait être chargé de reproches et de haine : *comment pourrai-je supporter son regard*? se demande-t-il. Il a honte d'être vu par une Lucie enchaînée et pressent qu'il sera encore plus honteux quand elle retournera de la torture et qu'elle le reverra. Croit-il vraiment qu'il n'y aura, dans les yeux de Lucie, *que de l'amour*? Dans ces échanges instables, François manifeste une tension visuelle particulièrement menaçante; si le regard peut jaillir d'une porte, d'un couloir, d'une maison, à plus forte raison d'un *moi* mis en évidence, dans le texte même, par l'emploi du caractère italique, et qui est si tendu, si exacerbé. Le *moi*, révolté par le fait d'être forcé de se mettre à la place de l'autre et d'être *martyrisé* pour lui, rayonne de haine et exerce une influence déterminante sur Jean : celui-ci se dirige vers la porte avec l'intention de se dénoncer et d'épargner aux autres la torture. Mais la présence intervenante d'Henri suspend la marche de Jean, *empêche* que ne se poursuive la métamorphose amorcée par le regard haineux de François et engage Jean à prendre une attitude apparemment plus modeste : il *revient sur ses pas, la tête basse*. À partir de ce point, les regards s'éparpillent, et Jean échappe à la focalisation visuelle.

Le deuxième cas est une reprise du regard vigoureux et haineux de François. Jean vient d'exalter son malheur. Son cri, provocateur et spectaculaire, *le plus malheureux de tous*, fait bondir François. Celui qui est le plus terrorisé ameute les regards contre celui qui est fort, repu et comme libre : *Regardez-le donc! Mais regardez-le donc!* Son agression annule l'éclat de Jean, qui est presque réduit au silence. Elle lui oppose la présence de celui qui souffre et qui va vers la mort; elle précise la menace déjà pressentie qui fera *partager [les] joies* à tous et surtout à la victime, la joie de dénoncer le chef. Et Jean ne reprend la parole que pour s'exprimer *d'une voix basse et rapide* et dire qu'il est prêt à obéir à cette présence qui le fige et qui lui fait honte. Mais, de nouveau, le rets visuel formé autour de Jean se dissout, et Jean glisse sous l'entrecroisement d'autres regards dont il n'est plus la cible.

Le troisième cas illustre un nouveau commencement de métamorphose. Cette phase est évidemment située dans l'ensemble rythmé d'être vu et de ne pas être vu. Mais elle ne s'ajoute pas aux autres; elle ne continue pas ce qui a été plusieurs fois commencé; elle n'aggrave pas ce qui a été amorcé à d'autres moments. Elle est un instant de rupture d'avec ce qui précède. Cette fois-ci, c'est Henri qui fait jaillir son attaque d'un renversement des regards, qui retourne son regard regardé en regard regardant et qui tend à paralyser Jean. Il *regarde longuement* le corps de François mort, comme s'il y puisait le pouvoir de rendre inanimé et fixe ce qui se meut, s'agite et le provoque, puis *se redresse* contre Jean. Son attitude et son discours continuent le regard initial. Il se justifie d'avoir tué François; en même temps, il réduit Jean au silence. Il rattache ce qu'il dit au passé et, justement, à une autre mort, celle d'un enfant, aussi tragique que celle de François, et voulue par Jean. Ce souvenir fige Jean. Aux questions posées, *Jean ne répond pas*. Il laisse faire; il laisse parler; il est pris par ces paroles et ce regard qui le subjuguent et le rejettent vers le statut de pierre. C'est ainsi qu'il fuit une situation qui n'est pas pour lui : *tu ne peux ni comprendre ni juger*, lui assure Henri, avec douceur. Et il ne s'oppose pas à cet argument, qui l'écarte et qui lui permet de se cacher et de s'enfuir dans le rets qui se ferme autour d'une autre cible.

Jean risque d'être chosifié selon la rythmique des regards, comme tous les personnages. Mais, à la différence des autres, il se déprend rapidement de toute présence regardante, en se masquant et en épousant apparemment les oscillations extérieures et les mouvements contraires qui s'annulent; et il finit par échapper à tous, aux résistants comme aux miliciens, à ses amis comme à ses ennemis. Comme Persée, il peut exalter sa force, sa science, sa ruse, son pouvoir de tuer et de faire vivre, et se donner en spectacle. Mais, surtout, il est un héros, comme le vainqueur de Méduse, parce qu'il échappe au regard.

4. LES OLYMPIENS

Il y a deux régions, le pays gorgonien et l'Olympe; il y a aussi deux types d'habitants, les Gorgones et les Olympiens. On a défini et analysé les deux topographies; on a étudié les figures de l'ombre en proie à elles-mêmes, gorgones parce qu'elles sont prises par le regard de l'autre et leur propre regard; on a noté, enfin, l'exception des résistants gorgoniens, Jean le perséen, ou celui qui se dérobe au regard et qui est, peut-être, promis à un destin olympien. Il convient de considérer maintenant les Olympiens. Je partirai, de nouveau, de l'archétype mythique, et je le projetterai sur ceux qui résident dans le lieu de l'Olympe, redoutable et dramatique.

La mythologie place Zeus non seulement au sommet de la plus haute montagne, mais à la tête de la société des dieux et de celle des hommes. Zeus est le roi des dieux. Il s'est emparé, par la ruse et la force, du pouvoir en détrônant Cronos et les Titans. Après sa victoire, il partage le monde en trois domaines : Hadès devient le dieu du monde souterrain; Poséidon, celui de la mer; Zeus, celui du ciel. Il consolide la conquête du pouvoir en un dernier épisode. Les Géants, excités par la Terre, contestent l'autorité olympienne et se révoltent, mais ils sont vaincus, à leur tour. Zeus gouverne donc les divinités du haut, contrôle les manifestations supérieures et maintient l'ordre et la justice dans le monde. Il est aussi le roi des hommes, le garant du pouvoir humain et de la hiérarchie sociale. Il dispense les biens et les maux, en puisant dans les deux jarres dont parle *l'Iliade*.

Zeus et les Olympiens mènent une vie semblable à l'existence commune des hommes, mais, en quelque sorte, mise en évidence, augmentée et multipliée. Leurs désirs, leurs appétits, leurs besoins sont plus nombreux et plus ardents : les relations sexuelles de Zeus avec les déesses et les mortelles sont paradigmatiques. Leurs sentiments et leur volonté sont plus impérieux et plus déterminants; leurs gestes, plus violents; leurs rivalités, leurs jalousies et leurs drames, plus sanglants et plus terribles.

*

Ce sont les miliciens qui résident dans la Salle olympienne : ce sont naturellement eux qui nous apparaissent comme les Olympiens. Le milicien détient le pouvoir et l'exerce. Il maintient l'ordre dans une société hiérarchisée qu'il domine et stable au point de ne devoir, semble-t-il, jamais changer malgré les rivalités et les menaces. Il jouit de son existence, en privilégié qu'il est. Il sait où est le mal, toujours à l'extérieur de lui-même et toujours au même endroit. Et, maître des situations, il lui appartient de sévir.

Morts sans sépulture présente une partie de la hiérarchie dominante, comme une section dans une chaîne dont les extrémités seraient estompées. Cependant, le fragment est représentatif de l'ensemble. Il est constitué des trois chefs miliciens : Landrieu, Pellerin, Clochet.

Landrieu est le premier des trois, le supérieur. Il le dit et le rappelle aux deux autres : c'est lui qui *commande*. Il donne des ordres aux miliciens qu'on ne fait qu'entrevoir, à Pellerin à qui il reproche quelques écarts, une intervention excessive ou un mauvais prétexte pour s'esquiver, et à Clochet, d'une façon singulière, dont il se méfie et contre qui il s'emporte si violemment qu'il n'hésite pas à le frapper en pleine figure. C'est lui qui organise et dirige les interrogatoires et les séances de tortures des résistants. Il se réserve les tâches nobles : il n'est jamais la main du tortionnaire; il en est le cerveau. Et il concède parfois, à un subalterne, un rôle qui lui revient : c'est ainsi qu'il autorise Clochet à questionner Sorbier. Toutefois, il affirme toujours une autorité permanente. Et quand la situation devient plus délicate et critique, et qu'elle approche d'une résolution probable, il exige le silence de ses subordonnés et formule la proposition qui dénoue le conflit : *si vous donnez les ren-*

seignements qu'on vous demande, vous avez la vie sauve. Il reçoit les aveux et ordonne qu'on ramène, vivant, le chef des résistants.

Pellerin est le second et le plus proche de Landrieu. Il a le rôle d'assistant, de collaborateur d'ailleurs effacé. Non seulement l'aide, il est aussi l'ami de Landrieu. Il lui parle de sa vie privée; il lui confie sa pensée sur les événements; il le renseigne sur Clochet et lui donne des conseils. Il est encore son confident.

Clochet est le troisième en importance. Il sert d'intermédiaire entre le triumvirat et les miliciens qui lui sont subordonnés. Il accomplit des tâches matérielles; il est chargé d'apporter les repas du soir; il va chercher Sorbier; il surveille de très près l'exécution de la torture et conduit le geste du bourreau. Mais il peut occasionnellement remplacer Landrieu, — cette faveur lui est accordée dans le cas de Sorbier. Il prend aussi une initiative hardie, qui lui est tolérée : celle de faire fusiller les trois derniers résistants.

Ce noyau de triumvirs est un degré de la hiérarchie, à la jonction d'une branche supérieure et d'une autre inférieure. Au sommet, on placerait Pétain dont le portrait trône dans la Salle olympienne, des personnages importants dont Darnand n'est qu'un exemple, et les *autorités allemandes*, qui dominent une société et un gouvernement soumis. Au-dessous, on mettrait les miliciens subalternes, qui sont de simples exécutants : ils sont gardes, policiers, patrouilleurs; ils sont agents tortionnaires; ils sont aussi nettoyeurs et cuisiniers.

Cette hiérarchie, qui apparaît avec ses divisions et ses agencements, s'emploie dans les fonctions d'un gouvernement de type olympien. Elle est représentée par le triumvirat qui, maître du moment présent, gouverne et maintient l'ordre et la justice. Les triumvirs déploient à partir d'eux-mêmes les lignes constitutives de leur existence et de l'existence des autres. L'arrangement est irréversible; et la justice est la reconnaissance et le respect de cette constitution. Il faut, pensent-ils, que l'ordre soit établi. *S'il y a deux équipes*, — et il n'y en a que deux, — l'une domine l'autre. Il faut aussi que la justice soit faite, que les résistants soient séquestrés, punis et torturés, et que les miliciens exercent leur autorité et leur pouvoir de sévir. Ces rapports d'équilibre sont inscrits dans une durée absolue, sans faille, où l'avenir est identique au présent. Aussi, les triumvirs peuvent déduire, de ce qui est, le caractère obligatoire de ce qui sera et prédire ce qui va arriver. Ils sont assurés que les résistants leur demeureront soumis, toujours les mêmes, et qu'ils finiront par parler. *Tu crieras d'abord*, et *demain tu parleras*, dit

Clochet à Henri. Et Landrieu : *il faut qu'il parle. C'est un lâche, il faut que ce soit un lâche.* Ou bien : *il faut qu'il y en ait un qui parle.* (Le caractère italique de *faut* dans le texte met en évidence la signification de cet ordre inéluctable.) Ou encore : *Ils parleront, nom de Dieu! Ils parleront.* Clochet et Landrieu ont raison. L'ordre de ce qui a été établi une fois demeure toujours le même : ceux qui sont dominés continueront à dépendre des autres. Et ceux qui dominent continueront à être les maîtres. Suivant cette logique, Pellerin a également raison : il ne peut pas être torturé puisqu'il est celui qui torture et qui doit continuer à torturer. *On ne nous arrachera pas les ongles*, dit-il. *À nous, ces choses-là ne peuvent pas arriver.*

L'équilibre olympien n'est pas exempt de tensions dues à des rivalités et à des menaces extérieures. Les divergences et les oppositions entre les miliciens sont par trop évidentes. Landrieu refuse à Clochet le *plaisir* de torturer un résistant; il n'écoute pas ses suggestions; il le contrarie à propos des traces de sang de Canoris, qui pourraient *impressionner les autres*; il se moque de lui (il le *charrie*, dit le texte), lui fait croire, un instant, de fausses nouvelles et lui conseille de mettre ces *plaisanteries* dans ses *rapports* secrets; il le contraint à obéir, à boire; il le frappe *en pleine figure.* À la violence, à l'acrimonie et à la moquerie de Landrieu, Clochet oppose une sourde résistance et une venimeuse agressivité. Il ne cesse d'*épier*; il déforme dans le mauvais sens ce que les autres font : la fenêtre qu'on a laissé ouverte, malgré son avertissement, devient une faute; il se rit de l'hésitation de Landrieu au moment d'affronter de nouveau les prisonniers; à l'insu de son chef, il décide de fusiller les trois résistants, content de son bon coup. D'un autre côté, Landrieu qui s'emporte facilement insulte ceux qui sont au-dessus de lui, comme les Allemands et Pétain dont il souille le portrait, mais aussi les annonceurs de la radio, qui ne disent pas ce qu'il voudrait, *ces fumiers-là.* De plus, on perçoit, comme parallèle à la hiérarchie officielle, un réseau secret et parasitaire de liaisons. C'est pour *un cousin* qui en fait partie que Clochet, qui biaise souvent, rédige ses fameux *rapports* dont il ne parle jamais. Et ces relations occultes de Clochet ne manquent pas d'être efficaces : elles ont permis de faire *virer Daubin.*

D'un autre côté, les menaces extérieures peuvent venir d'une double origine : de la résistance ou des armées ennemies. Les résistants prisonniers défient sans doute l'ordre par leur silence et leur refus de collaborer. Mais ceux qui sont libres, comme Jean, et qui combattent constituent un grave danger. De plus, l'approche des armées adverses fait peser sur le régime les plus redoutables périls. Landrieu, dans un moment où il est mi-farceur, mi-soûl, prophétise que les ennemis vont envahir le pays et que la situation va empirer.

Mais que valent les visées futures qui ne continueraient pas ce qui est maintenant? Leur importance par rapport à ce qui est dans l'ordre et la justice? Le présent absorbe les menaces et les conflits; il conjure le mal. Les Olympiens résistent à l'assaut des Titans et matent les révoltes des Géants. Ils provoquent et éteignent les rivalités. Ils enchaînent les tragédies.

Les miliciens mènent une vie facile et heureuse. Ils sont installés dans un temps confortable, rythmé par les battements de l'heure et de l'histoire, organisé en phases de travail et de repos. Aussi sont-ils soucieux de bien *régler leurs montres* et de les consulter pour savoir le moment exact de ce qui leur arrive et de ce qu'ils font. Aussi, sont-ils attentifs à cet autre cadran qu'est le poste de radio, qui dit le temps, qui distribue les *nouvelles* et les *informations*, qui signale l'histoire qui se fait. Ils tiennent aussi à vivre selon un horaire qui prévoit le temps du travail et celui du repos... C'est le moment d'appeler celui-ci, conviennent-ils, pleinement satisfaits; c'est l'heure de torturer celui-là; c'est la pause du repas... *Le temps de bouffer*, dit le chef. Landrieu se sentirait énervé durant le travail s'il avait *le ventre vide*. Et ne pas avoir faim, comme le prétend Clochet, ne pas manger à l'heure juste serait une anomalie, un symptôme de maladie ou un signe inquiétant d'autre chose... Les miliciens, à l'heure exacte, ont faim, et ils mangent; ils ont soif et ils boivent. Ils ne manquent jamais de rien pour satisfaire leurs besoins. On a déjà préparé des poulets, mais ils préfèrent une autre viande... Ils peuvent choisir. On n'a pas oublié les bouteilles de vin; et Landrieu boit jusqu'à l'ivresse. Toutefois, le travail ne les prive pas d'assouvir certains instincts : Pellerin viole Lucie. Clochet, qui paraît plus attiré par les hommes, se montre un tortionnaire zélé. Leur travail est aussi agrémenté de musique, qui couvre sans doute les cris des tortures, mais qui stimule, soutient et magnifie le geste des tortionnaires. Un air de java ou de valse rend leur tâche plus légère. Et il se répand comme l'expression de leur supériorité et de leur triomphe. En somme, Pellerin exprime l'euphorie de chaque triumvir quand il dit : *J'ai bien rigolé*.

*

Selon la mythologie, les Gorgones sont situées dans une économie olympienne qui les domine et les assume. Est-ce que Méduse n'est pas la Gorgone la plus connue et la plus importante parce qu'elle est la plus mêlée à la vie des dieux et des héros olympiens, d'ailleurs, pour son malheur? Je voudrais insister sur le caractère antithétique et conflictuel de leurs relations où l'un dépend de l'autre. L'olympien est central; le gorgonien est marginal. L'olympien est organisé et hiérarchisé; le gorgonien est une manifestation plurielle sans degré : il y a trois Gorgones, sans que l'une soit supérieure aux autres, comme le triplet sororal des Grées, ou Géryon tricéphale. L'olympien exprime la réussite, le bonheur d'exister; et le gorgonien, l'échec, le malheur d'exister.

L'antithèse des deux existences, celle des miliciens et celle des résistants, est aussi forte que les contrastes topiques de la Salle lumineuse et du Grenier obscur. Face à la hiérarchie précise des miliciens, le groupe polymorphe mais imprécis de personnes qui sont comme des ombres; face à la volonté dominatrice et efficace des maîtres, les parias têtus mais soumis. À l'assurance et à l'autorité des premiers, s'opposent l'interrogation inquiète et nerveuse, la parole incertaine et le silence des seconds. À l'exploitation du temps et du moment présent, l'ignorance de l'heure et de l'histoire qui se fait, l'impossibilité de prévoir. À la jouissance et à la satisfaction, l'absence des appétits et la frustration. À la figure pleine et affirmative du bien-être, la figure creuse et négative du malheur.

Cependant ces contrastes sont étroitement liés. Les valeurs négatives dépendent des valeurs positives qui les portent. Le mal est fixe. Il est attaché aux résistants. Et là où il est, il demeure irréductible. Les résistants sont conscients de cette permanence. Henri est convaincu qu'il y a eu une *faute* dans la dernière entreprise à laquelle il a participé et qui a échoué. Mais, pour lui, cet échec n'est que la dernière expression d'un mal qui l'a toujours habité. Son existence n'est qu'une série de faillites ou, plus exactement, *une erreur*, comme il le dit lui-même. Il y a un rapport d'identité entre sa vie et le mal. Sorbier pense également que l'action manquée est une faute dont ils sont responsables. De plus, celle-ci a déclenché une suite d'instants désastreux, et la mauvaise conscience d'une seule de ces minutes suffit *à pourrir toute une vie*, croit-il. Pour lui aussi, il y a identité entre l'existence et le mal. Mais, à la différence d'Henri qui procéderait par totalisation au fur et à mesure qu'il avance, Sorbier semble établir le rapport par un rayonnement qui, à partir d'un instant précis, va dans tous les sens et remonte le passé.

Enfin, Lucie affirme catégoriquement qu'elle a *pris tout le mal* sur elle. Toutefois, pour les miliciens, il n'y a aucun doute : tous les résistants sont mauvais et ne cessent de commettre le mal. *Ce sont tous des lâches*, dit Pellerin. Aussi les fait-on défiler, l'un après l'autre, pour vérifier toute la chaîne du mal. Et, si l'on constate qu'un d'entre eux est plus *lâche* que les autres, on s'empresse de le faire revenir : ainsi Sorbier, qui semble particulièrement *à point* pour commettre une faute. Si on réserve Lucie et François pour la fin, c'est qu'on pense que le temps qui passe aggravera leur faiblesse et leur culpabilité. Tous les résistants sont des suppôts du mal; et ce qu'ils font, même si leurs actes sont divers ou opposés et si les griefs sont différents, est également mauvais. Canoris garde un mutisme absolu : pas un mot, pas un cri. C'est *une brute*, un *lâche* qui est *buté*, disent les juges. Sorbier, au contraire, crie, gémit, parle; il dit qu'il va livrer son chef et se suicide : c'est *le salaud! le sale couard, la salope*, affirment-ils. Henri crie, mais ne dit rien. C'est également un *salaud*, décrètent-ils. Chez lui, le mal apparaît à divers niveaux de ce qu'il est. Il s'appelle Henri : c'est mal; il est *instruit*, il fait sa *médecine* : *salaud*; il est riche : c'est *un sale intellectuel*. Ne pas *parler* est une faute. Mais parler en est également une : *s'ils parlent [...] ils éviteront de se rappeler ce genre de souvenir*, remarque Landrieu.

Le mal, fixé au même endroit et identique, appelle le même châtiment. La justice frappe là où est le mal, d'une manière itérative et automatique. Les juges et tortionnaires *n'ont pas d'imagination*; ils ne réfléchissent pas, ils frappent indifféremment chaque résistant jusqu'à ce qu'il soit épuisé : Sorbier, Canoris, Henri... Ils le torturent à chaque manifestation d'être qui coïncide avec un signe du mal, sans distinguer les différences, ni les degrés de gravité. Ils frappent Henri chaque fois qu'il exprime ce qu'il est; ils frappent également Sorbier parce ce qu'il est ce qu'il est et qu'il dit ce qui est. Ils agissent comme ils faisaient hier et ailleurs, et comme ils continueront de le faire. Plus précisément, ils suivent un rituel de torture, qui alterne les attaques et les rémissions et qui accentue progressivement les phases agressives. Il en est ainsi dans les deux séances de Sorbier, dans le cas de Canoris, qui a déjà subi cette expérience autrefois en Grèce, et même dans celui de Lucie. Mais la torture d'Henri est la plus démonstrative. Le tortionnaire réduit la victime à un objet qu'il va *travailler*; il l'attache à un *fauteuil*, comme on fixe une pièce dans un étau pour que tous les coups portent avec une pleine efficacité. Il la soumet à trois séries de gestes de plus en plus violents, séparées par des intervalles de répit. La première est celle des coups à main nue; la seconde est l'application des premiers instruments de torture, cordes et bâtons, qui lui serrent les poignets jusqu'à ce qu'elle s'évanouisse; et la troisième est le supplice des appareils les plus redoutables.

*

La Gorgone est située dans le plan universel par rapport aux Olympiens. Et la tête de Méduse, que Persée a remise à Athéna, demeure à leur disposition : elle est toujours active et conserve le pouvoir de pétrifier. Elle appartient à ceux qui dominent et triomphent, et sert surtout à effrayer, à paralyser et à tuer leurs ennemis. Les miliciens confisquent à leur usage le pouvoir du regard qui dévaste les existences et les consciences des résistants.

Le regard des résistants décharge parfois un éclair médusant sur les miliciens. Canoris *regarde* ses bourreaux et crée autour de lui comme un corps solide et impénétrable. Lucie les *regarde de face* et les blesse dans leur propre regard. Sorbier, prenant point d'appui sur ses faiblesses, promène un regard sinueux qui aliène les autres jusqu'à un lieu imaginaire où il les perd. Mais ces éclats oculaires sont épisodiques et n'ébauchent qu'une métamorphose superficielle en ceux qu'ils atteignent.

Le regard du milicien sur l'autre fige ce qu'il perçoit. S'arrête-t-il sur un autre milicien? Landrieu tient Clochet; il découvre Pellerin qui cherche, par un faux prétexte, à ne pas assister à une nouvelle séance de torture et le fixe dans son rôle. Clochet *épie* les autres, les observe pour établir ce qu'ils font et ce qu'ils sont, dans des rapports qu'il rédige d'abord *dans la tête*. L'objet vu se transforme parfois en une projection de soi et une angoisse réfléchie. Landrieu contemple Clochet au moment où il torture Henri. Son regard ne se mêle pas à l'acte qui unit le bourreau et la victime; il ne pèse pas sur Clochet. Mais il se réfléchit sur ce spectacle et absorbe les coups du bourreau et les réactions de la victime. La répercussion transporte en lui la scène et la rend insupportable : Landrieu *se passe les mains sur le front* et arrête la torture.

Le regard est agressif et violemment médusant quand il frappe un résistant. Il est à l'origine des métamorphoses de Sorbier, Canoris, Henri, François, Lucie et même Jean, en proie à la Gorgone. Un exemple spectaculaire est encore un moment de la pétrification d'Henri, celui où il est torturé par Clochet. De la dyade, on a déjà décrit le côté pétrifié d'Henri, il convient d'explorer le côté pétrifiant de Clochet, celui d'un regard exalté et dominateur. Le processus, cependant, est amorcé par une remarque étonnante qui semble contredire l'épiphanie visuelle et s'opposer à l'affirmation du regard de Clochet : *personne ne te voit*, dit Landrieu à Henri. On pourrait simplement entendre que la séance aura lieu sans la présence d'un témoin, qui jugerait l'exploit de la victime. Mais cela ne dit pas tout. D'abord, la polarité visuelle est mise en valeur, même si elle est infirmée par l'absence d'un témoin. De plus, elle oriente la réflexion : est-ce que les miliciens, qui sont là, sont indifférents? est-ce qu'ils ne voient pas? Clochet ne dévore-t-il pas Henri des yeux et ne pourrait-il pas dire, lui aussi : *personne ne te voit*? En effet, Clochet est alors l'agent de la pétrification, à la fois témoin extérieur et présence intérieure dans la fusion de l'acte; il voit et il vit la torture; il est regard et non-regard; il est l'agent d'une rythmique formée de ces phases antithétiques qui alternent et s'entremêlent. D'une part, il voit la douleur d'Henri. Il la constate dès qu'elle apparaît : *on la voit sur ta figure*, lui dit-il. Et il en note les signes visuels à mesure qu'elle évolue : la sueur, le mouvement de la tête, la contraction des mâchoires, la syncope du regard même. Il admire cette chose close sur elle-même, fermée sur son foyer céphalique, qui lui appartient et qu'il manipule avec douceur : que *tu es beau*! Il en suit les moindres variations, remarque une dilatation : *je vois le cri qui gonfle ton cou*; il observe sa transformation jusqu'à l'éclosion du cri. L'épiphanie visuelle est d'autant plus forte qu'elle est dite non seulement par le meilleur témoin, mais par l'agent même de la torture. Et, d'autre part, dans la même durée et comme en contrepoint, il vit la douleur de l'autre. Il pénètre en l'autre et ressent sa souffrance : *j'ai mal pour toi*, lui dit-il. Il découvre sa pensée : *tu penses que... la douleur n'existe pas* mais... Il pense pour l'autre : *si je pouvais tenir...* Il épouse ses sentiments, sa volonté, son orgueil : *Peur? [...] tu peux t'empêcher de crier... tu n'es pas humble*. La métamorphose de l'autre aboutit à un cri, mais celui-ci est le produit de deux et il est marqué d'un double terme : la honte d'Henri et le triomphe de Clochet. Henri, en se chosifiant, devient ce qu'il est. Être Gorgone dans les mains des Olympiens, c'est essentiellement se chosifier. Et Clochet l'Olympien voit non seulement cet instant, mais prévoit d'autres moments où il achèvera de pétrifier l'autre.

Les caractères de cet acte, où alternent le regard et le non-regard, conviendraient également aux tortures d'autres résistants, par exemple, à celles de Sorbier et de Lucie. Mais le regard médusant du milicien est encore plus redoutable parce qu'il provoque chez l'autre le regard réflexif qui fait de si vastes dégâts dans la conscience.

La lecture mythologique du texte de Sartre a mis en lumière la figure de la Gorgone, le regard médusant qui atteint l'homme dans toutes ses dimensions. Le regard nous est apparu universel, extérieur, intérieur, agressif, connaissant : agent de savoir et de culpabilité, réversible et antithétique. Il se manifeste dans un espace extérieur double : le Grenier gorgonien et la Salle olympienne. Les Olympiens-miliciens manipulent surtout la tête de la Gorgone à leur profit. Les Gorgoniens-résistants exercent le pouvoir de Méduse les uns contre les autres; et ils sont surtout la proie de leur regard réflexif. Entre les uns et les autres, le perséen Jean se donne en spectacle et échappe au regard. (L'interprétation mythologique de ce personnage héroïque nous propose une définition de l'héroïsme qui ne manque pas d'intérêt : l'acte d'être vu et de se dérober au regard.)

La lecture, de facture mythologique ou attentive à la signification anthropologique de la figure mythique, a considéré le texte de *Morts sans sépulture* (et donc l'expression dramatique de Sartre) comme autonome et suffisant. Elle ne s'est pas référée, dans son organisation et ses développements, à la pensée philosophique. Sans doute s'y sont glissés quelques termes lexicaux qui la reflétaient. Sans plus. Or, pour conclure, on pourrait rapprocher le texte dramatique d'un texte philosophique et tenter de noter des correspondances, qui montreraient la cohérence d'une pensée diversement exprimée et, surtout, qui corroboreraient, sur un autre plan, l'interprétation proposée.

Dans *l'Être et le néant* (Paris, Gallimard, « Bibliothèque des idées », 1943), Sartre étudie le regard (3e partie, chapitre I, IV, pp. 310-364). Cette analyse montre l'importance qu'il accorde au regard. Celui-ci est lié à l'existence d'autrui, ou mieux à *l'apparition d'autrui* (p. 313), qui est objet et sujet. Comme objet, il est *une relation de fuite et d'absence du monde par rapport à moi* (p. 314). Je rencontre un homme qui lit, c'est dire que je saisis une forme close, solide, visible, une chose. *Au milieu du monde, je peux dire « homme-lisant » comme je dirais « pierre froide », « pluie fine »* (p. 313). Dans la comparaison, on lit un terme bien gorgonien et son antithèse qui caractérisent la métamorphose de Lucie. Comme sujet, il se substitue à l'objet vu par moi et devient *la possibilité permanente [...] qui me voit* (p. 315). *Autrui est, par principe, celui qui me regarde* (p. 315). Le regard vers moi est aussi *une apparition* (p. 315). Laquelle? Sans doute *la convergence vers moi de deux globes oculaires* (p. 315). Mais aussi une présence qui me dérange, un volet qui s'entrebâille, *un bruit de pas suivis du silence* (p. 315). On pourrait ajouter les pas des miliciens dans le couloir, la fente de la porte, la java ou la valse... Il est *sur moi sans distance et me tient à distance* (p. 316). Saisir un regard, c'est prendre conscience d'être regardé. *Le regard [...] est pur renvoi à moi-même* (p. 316). Un bruit ne signifie pas immédiatement qu'il y a quelqu'un, mais que je suis vulnérable, *que je suis vu* (p. 316). Que signifie être vu? C'est d'abord être atteint dans mon être et prendre *conscience de moi en tant que je m'échappe* (p. 318), *pur renvoi à autrui* (p. 318). Et c'est aussi être modifié. Autrui me regarde et me juge. *C'est la honte ou la fixité que me révèlent le regard d'autrui et moi-même au bout de ce regard, qui me font vivre, non connaître la situation du regardé* (p. 319). La pétrification gorgonienne est amorcée. *Avec cet être que je suis et que la honte me découvre, quelle sorte de rapports puis-je entretenir?* (P. 319.) Un être indéterminé, opaque, inconnu, imprévisible m'est donné *comme un fardeau* (p. 320). Il m'est imposé par le dépliement des dimensions d'autrui et par la liberté d'autrui; il est inscrit dans les limites de ma liberté. De plus, la honte me révèle que je suis cet être *en-soi* (p. 320), c'est-à-dire cet être que je suis non pour moi-même, mais pour l'autre. Autrui me métamorphose ainsi à distance; il donne un *dehors* à mon être, une *nature : ma chute originelle c'est l'existence de l'autre* (p. 321). Il agit en moi comme le regard de la Gorgone : je perçois le regard de l'autre *au sein même de mon acte, comme solidification et aliénation de mes propres possibilités* (p. 321). Quand je suis vu, je me sens brusquement transformé, je me sens coupable et ridicule. L'autre est la Gorgone : un *témoin* (p. 323), qui apparaît soudain, agressif, menaçant. Il me *guette* (p. 322). *Cette tendance à m'enfuir*, car autrui est un trou de fuite et d'absence du monde et je suis vu dans le monde, cette tendance *qui me domine et m'entraîne et que je suis, je le lis dans ce regard guetteur* (p. 322). Comme il est chargé de menaces, il apparaît naturellement accompagné d'une arme. Et je le lis aussi *dans cet autre regard : l'arme braquée sur moi* (p. 322).

LE MANUSCRIT

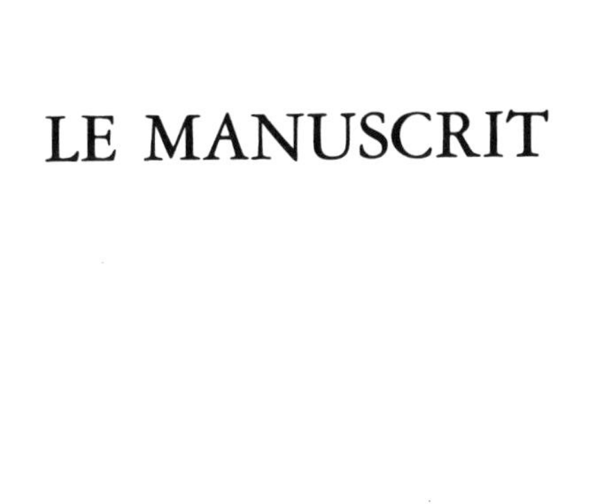

Je ferai quelques remarques sporadiques, de nature circonstancielle, matérielle ou textuelle. Ensuite, je présenterai les références et les extraits qui marquent des écarts entre le manuscrit et la version définitive, en ce sens qu'ils donnent d'autres dimensions à la pièce et qu'ils précisent la mythologie du regard. Cette présentation est la partie principale. L'analyse suivra alors la pensée de Sartre au travail dans le manuscrit.

REMARQUES PRÉLIMINAIRES

L'acquisition

Le manuscrit a été acheté en 1969, à Paris, pour l'Université d'Ottawa. Il est déposé à la bibliothèque Morisset, à la salle des collections spéciales.

L'état matériel

Le manuscrit a été écrit de la main de Sartre. Il présente de grands fragments raturés. Cependant, il reste presque toujours lisible. Il est formé de feuilles différentes par le format et par l'aspect. Je constate trois mesures distinctes. Dans l'ensemble suivant, je désigne par l'abréviation f. la page du manuscrit :

1. 19,5 cm x 30,5 cm : ff. 1 et 2; ff. 31-38;
2. 19,5 cm x 30 cm : ff. 20-23; ff. 25-29; ff. 47-48;
3. 21 cm x 27 cm : ff. 3-19; f. 24; ff. 39-46; ff. 49-61; ff. 63-89.

Et je mentionne quelques exemples de la diversité du papier :

1. des feuilles lignées : ff. 1 et 2; ff. 31-38;
2. des feuilles sans lignes : ff. 63-89;
3. des feuilles quadrillées à petits carreaux : ff. 20-23; ff. 49-61;
4. des feuilles non utilisées de *relevés de comptes* de la NRF, titre des ouvrages, nombre de mille, droits d'auteur. Le manuscrit est écrit au verso : ff. 3-19;

5. des circulaires qui annoncent la fondation de la revue *Les Temps modernes*, et où le texte est évidemment écrit au verso : ff. 39-46. Voici le texte de l'annonce, qui est au recto :

> *Monsieur,*
>
> *Une Revue va bientôt paraître aux Éditions Gallimard qui s'intitulera « LES TEMPS MODERNES » et non « LA CONDITION HUMAINE » comme des journaux l'avaient annoncé. Elle sera dirigée par J.-P. Sartre.*
>
> *Raymond Aron, Simone de Beauvoir, Michel Leiris, André Malraux, Maurice Merleau-Ponty, Albert Ollivier et Jean Paulhan feront partie du Comité de Direction.*
>
> *« LES TEMPS MODERNES » ne se proposent pas de continuer ou de remplacer « LA NOUVELLE REVUE FRANÇAISE ». Il nous semble, au contraire, que ceux même qui ont le plus aimé « La N. R. F. » avant la guerre, souhaitent sous la pression chaque jour plus sensible de l'Histoire, une forme de Revue qui tout en demeurant littéraire, exprime davantage leurs besoins et leurs inquiétudes et tente de fournir des réponses aux questions qu'ils se posent. C'est à ces désirs que « LES TEMPS MODERNES » se proposent de satisfaire. Ils voudraient donner l'exemple d'une littérature plus actuelle, plus profondément engagée dans notre époque, plus soucieuse d'exprimer cette époque tout entière avec ses problèmes, ses passions, ses rêves, et autant que possible l'expliquer.*
>
> *Le premier numéro paraîtra en Février 1945.*
>
> *Nous espérons que vous ferez bon accueil à cette tentative, et nous vous prions, Monsieur, de croire à nos sentiments distingués.*

L'écrivain a utilisé le papier qui était à la portée de ses mains, sans se soucier de sa qualité, ni de sa forme.

La pagination

Le manuscrit a été paginé, d'une manière approximative et irrégulière, en deux ensembles; les numéros des feuillets sont marqués au crayon :

a) 1 à 23;

b) 1 à 33.

Ce que je transpose en *a*) ff. 1-29 et *b*) ff.31-89, pour constituer un enchaînement unique et une continuité numérique. Le premier ensemble ne correspond qu'au commencement du drame; le deuxième, à la suite et à la plus grande partie de la pièce. Entre les deux, le f. 30 apparaît comme une feuille de division, mais aussi comme un signe d'organisation. Il ne porte pas d'indication de page.

En effet, le premier ensemble est celui de l'*acte premier* (ff. 1-29); il a pour titre *Les vainqueurs*; le second est formé des *actes II et III* (ff. 30-89); il a pour titre *Morts sans sépulture*. Ce deuxième ensemble est organisé en deux parties : *acte II / deuxième tableau* (f. 49) et *acte III / quatrième tableau* (f. 65). Je viens d'indiquer en italique les articulations principales qui sont marquées dans le manuscrit et qu'il convient de voir de plus près, en réservant, pour les écarts entre le manuscrit et la version définitive, l'explication du double titre et des caractères de l'acte et du tableau.

Acte premier (f. 1). — Le lieu est le grenier; les personnages sont des résistants qui dialoguent sur leur échec et leur sort de prisonniers; on a commencé à les torturer parce qu'ils ne veulent pas dire le nom de leur chef; au f. 29, fin de l'acte.

Actes II et III (f. 30). — Cette marque, avec le titre *Morts sans sépulture*, occupe tout le f. 30.

Acte II (f. 31). — Un deuxième lieu, c'est une salle d'école. Un deuxième groupe de personnages, ce sont des miliciens. Dans le passage de l'acte I à l'acte II, il y a donc un changement où coïncident personnages et décor et où l'on voit les miliciens et la salle d'école, au lieu des résistants et du grenier. Les miliciens sont des tortionnaires : ils supplicient Henri; ils poussent Sorbier au suicide. Au f. 48, fin de l'acte II.

Acte II / deuxième tableau (f. 49). — Cette double articulation simultanée diffère des marques précédentes. La répétition d'acte II manifeste une continuité. Cependant, l'indication de deuxième tableau montre à la fois un enchaînement, par l'emploi de l'adjectif ordinal, et une cassure, puisque le nom de tableau est un jalon nouveau. Le premier caractère est la cohérence de l'acte II. Les résistants continuent à être soumis à la terrible pesanteur des miliciens : Lucie est entre leurs mains. François ne semble pas pouvoir résister à la force adverse; il est tué par les siens. Jean échappe au tourbillon de la mort. Le second caractère est la discontinuité dans la succession. Deuxième tableau indique un changement de lieu et de personnages : on passe de la salle d'école au grenier et des miliciens aux résistants. Sans définir ici le concept de tableau, on remarque que la double articulation, qui instaure un régime concurrentiel, crée une certaine confusion. L'acte n'est plus la seule unité dramatique. Et, si le tableau ne semble pas égal à l'acte, il apparaît du moins comme une subdivision de l'acte. Il s'inscrit alors dans l'acte II, et le fait qu'il soit deuxième laisse entendre que la première partie de l'acte II (ff. 31-48) constitue le premier tableau : la salle d'école et les miliciens. Entre ces deux tableaux, s'établirait un rapport binaire et antithétique. Néanmoins, dans le texte écrit jusque-là, le tableau est une marque unique, qui trouble la succession des actes, scinde l'acte II en deux parties et crée deux divisions inégales, l'acte sans tableau et l'acte avec tableau. Au f. 64, fin de l'acte II, deuxième tableau.

Acte III/quatrième tableau (f. 65). — Le régime concurrentiel de l'acte et du tableau continue. Cependant, à la différence du rapport précédent où le tableau ne semblait qu'une partie de l'acte, il y a ici coïncidence d'un acte, l'acte III, et d'un tableau, le quatrième tableau. L'un et l'autre englobent le même contenu dramatique : l'action se conclut dans la salle d'école où les personnages dominants, les miliciens, tuent les trois derniers résistants qui n'ont pas trahi, les derniers *morts sans sépulture*. Au f. 89, fin de l'acte III/quatrième tableau. Toutefois la numérotation manifeste une inégalité et montre que chaque élément du rapport se réfère à une organisation différente. L'acte III renvoie à des marques textuelles antérieures inscrites aux ff. 1, 30, 31 et 49; au f. 30, l'acte III est précisément annoncé dans une conjonction avec l'acte II. Et il se situe à la fin d'un ensemble organique de trois actes. Cependant, le quatrième tableau est placé textuellement dans un ordre qui va du début à la fin de la pièce, sans que celui-ci soit clairement exprimé. Il se rattache à la mention de deuxième tableau (f. 49); mais sans l'appui d'un premier, ni d'un troisième tableau. Cependant, un classement par tableaux, à partir de la dernière équation acte/tableau, est suffisamment manifesté pour qu'on puisse le formuler :

Acte III/quatrième tableau
Acte II/troisième tableau
Acte II/deuxième tableau
Acte I/premier tableau

On aurait donc quatre tableaux. On déclasserait le deuxième tableau qui passerait de la seconde partie à la première partie de l'acte II. On qualifierait l'acte II, deuxième partie, de troisième tableau, et l'acte I, de premier tableau. Une seule anomalie subsisterait, le double acte II.

CHOIX DES RÉFÉRENCES ET DES EXTRAITS

J'ai choisi les passages raturés du manuscrit qui présentent quelque intérêt et, surtout, les variantes importantes qui montrent l'écrivain au travail, corrigeant le texte, supprimant, ajoutant, celles qui éliminent certains aspects et celles qui renforcent, par le jeu des reprises, tel ou tel sens, mais qui, toutes, donnent de nouvelles dimensions. Ils contribuent à éclairer la version définitive et la manifestation du regard, qui est l'objet de l'analyse. Ils ont généralement en commun, semble-t-il, le caractère de l'inédit. Mais il est aussi intéressant de mentionner les écarts dus aux ajouts que l'édition apporte au manuscrit. L'édition, à laquelle on se réfère, est celle qu'on a utilisée précédemment pour l'étude de la mythologie du regard : Gallimard, collection « Folio », n° 109. Toutefois on prendra le manuscrit pour ligne de départ et on respectera ses divisions scéniques. L'ensemble est le suivant :

ACTE I

A. – Le titre, f. 1.
B. – Le personnage de Laure, f. 1 (scène I).
C. – Des différences significatives :
ff. 9, 10, 14 (scène I).
f. 29 (scène V).

ACTE II

A. – Les propos érotiques des miliciens, f. 36 (scène III).
B. – L'interrogatoire d'Henri, ff. 37 et 38 (scène IV).
C. – Le concept de *tableau*, f. 49 (acte II, deuxième tableau).
D. – La mort de François, ff. 53-59 (scène II).
E. – Le dialogue de Jean et de Lucie, ff. 59-63 (scène II).
F. – La scène III, ff. 63-64 (scène III).

ACTE III

A. – Deux corrections, f. 69 (scène I).
B. – Le dernier affrontement des résistants et des miliciens, ff. 72-76 (scènes I, II).
C. – La dernière volonté des résistants : vivre, ff. 77-88 (scène III).

ACTE I

A. – Le titre : Les Vainqueurs *(f. 1)*

C'est le premier titre de la pièce. Il n'est pas raturé dans le manuscrit. Il définit avec éclat le projet des résistants, qui est clairement établi dès l'acte I : les vainqueurs, ce sont ceux qui ont décidé de ne pas donner des renseignements sur leur chef et qui réussissent à faire ce qu'ils ont voulu. Mais le terme est ambigu. En effet, ces vainqueurs sont ceux qui sont dominés par les miliciens. Et, plutôt que des vainqueurs, ce sont des vaincus. Il est vrai, toutefois, que la victoire morale peut être plus resplendissante que celle de toute autre force. De plus, si les résistants apparaissent comme des vaincus, les miliciens seraient les vainqueurs. Eux aussi cherchent à gagner et l'emportent, d'une certaine manière, sur leurs adversaires. Ainsi les résistants et les miliciens pourraient être *les vainqueurs*. Enfin, l'ambiguïté ne serait pas effacée par la figure ironique : les uns et les autres demeureraient des candidats à la victoire. (Dans la première édition américaine de la pièce, le titre est justement *The Victors*, trad. de Lionel Abel : *Three Plays*, New York, Knopf, 1949, tandis que, dans l'édition anglaise, il est *Men without shadows*, trad. de Kitty Black : *Three plays*, London, H. Hamilton, 1949. Le premier acte de la pièce, par ailleurs, avait été publié sous le titre « Les Vainqueurs » dans *Valeurs* [Alexandrie], n° 4, janvier 1946, pp. 6-23 : voir CONTAT et RYBALKA, *Les Écrits de Sartre*, Gallimard, 1970, n° 46/89.)

[illegible] d'un dépôt 2 exemplaires
à l'hôtel de la Louisiane
[illegible]
[illegible]

Les Vainqueurs

Acte premier

Un grenier éclairé par une lucarne. Pêle-mêle d'objets hétéroclites : des malles, un vieux fourneau, un mannequin de couturière. Canoris Laure et Sorbier sont assis, l'un sur une malle, l'autre sur un vieil escabeau, le troisième sur le fourneau. Ils ont les menottes. François marche de long en large. Il a aussi les menottes. Henri dort, couché par terre.

Scène Ire

Canoris, Sorbier, François, ~~Laure~~ Lucie, Henri.

François

Allez-vous parler, à la fin ?

Sorbier (levant la tête)

Qu'est-ce que tu veux qu'on dise ?

François

N'importe quoi, pourvu que ça fasse du bruit.

(Une musique vulgaire et criarde éclate soudain. C'est la radio de l'étage d'en dessous)

Sorbier

Voilà du bruit.

François

Pas celui-là : c'est leur bruit. (Il reprend sa marche et s'arrête brusquement) Ha !

Sorbier

Quoi encore ?

François

Ils m'entendent, ils se disent : voilà le premier d'entre eux qui s'énerve.

Canoris

Eh bien ne t'énerve pas. Assieds-toi. Mets tes mains sur tes genoux, tes poignets te feront moins mal. Et puis tais-toi. Essaye de dormir ou réfléchis.

En tout cas, l'écrivain substitue au premier titre un deuxième, au f. 30, *Morts sans sépulture*, qui coiffe les actes II et III. Le personnage de Sorbier illustre le double destin de celui qui a gagné et qui meurt sans sépulture. L'expression exacte de *mort sans sépulture* est issue d'une réflexion de Sorbier (f. 15) : il évoque ses vieux parents, qui sont tranquilles et qui vont l'attendre pendant des années. Il mourra *dans leur cœur*, dit-il, *sans qu'ils s'en aperçoivent. [Un mort sans sépulture.]* Cette dernière expression est raturée. Et l'écrivain en fait le titre de sa pièce, à partir du f. 30, et celui de la version définitive. Comme on le voit, le second titre naît de la rédaction même de la pièce et semble s'imposer avec plus de force. Il exprime à la fois une pensée philosophique et une pensée mythologique qui nous intéresse ici davantage. La privation de sépulture est un fait important qui marque l'existence de personnages mythiques. Dans *l'Énéide*, Palinure, mort sans les rites funèbres, attendra qu'on recueille son cadavre, avant de recevoir les honneurs divins. Sychée, mari de Didon, est mis à mort par Pygmalion qui le laisse sans sépulture. Et Énée aperçoit sur les rives du Styx une foule de morts anonymes qui sont des morts sans sépulture et auxquels Charon refuse le passage du fleuve des morts. Dans le cycle d'Œdipe, Créon décide que Polynice, qui a porté les armes contre Thèbes, sa patrie, soit privé de sépulture; mais Antigone se révolte contre ce décret, car le rite de l'ensevelissement est un devoir sacré. Et il est intéressant de noter que le mythe d'Antigone est actualisé par les écrivains au moment où Sartre écrit *Morts sans sépulture. Antigone* de Jean Anouilh est créé, le 4 février 1944, au théâtre de l'Atelier; dès la fin de cette année, Thierry Maulnier fait jouer *Antigone* de Robert Garnier (1580) au théâtre Charles-de-Rochefort et, en 1945, au Vieux-Colombier. *Morts sans sépulture* est présenté pour la première fois au théâtre Antoine, le 8 novembre 1946. Cependant, Sartre transforme, par un emploi métaphorique que seul le manuscrit permet de préciser, une formule antique que la mythologie a perpétuée, en un titre qui exprime fortement sa pensée. Le séjour des morts n'est plus souterrain comme aux temps d'Antigone et d'Énée; il est mis sur la terre. La remontée des enfers dans l'arrangement cosmique est simultanée à son instauration dans le cœur humain. C'est désormais dans le cœur des autres qu'on meurt, ou qu'on peut y mourir, sans les honneurs funèbres. C'est ainsi que Sorbier meurt dans le cœur de ses vieux parents, sans y éveiller la moindre attention, ni la moindre compassion. L'expression de *mort sans sépulture*, dégagée du discours de Sorbier et mise en titre, conserve cette signification; elle signifie encore plus banalement et directement celui qui est mort et qu'on abandonne là où il tombe, sans aucun égard, sans aucune pitié. D'une façon générale, cette présence infernale convient à la Gorgone qui vit au voisinage des Enfers, parmi les monstres de la nuit et les démons de la mort.

B. – Le personnage de Laure *(f. 1)*

Il n'y a pas une liste des noms des personnages au début du manuscrit. Mais les personnages sont présentés d'une manière successive et partielle, au fur et à mesure qu'ils interviennent dans le déroulement des actes et des scènes. Par exemples : acte I, scène I, au f. 1, Canoris, Sorbier, François, Lucie, Henri; même acte, scène III, au f. 20, les mêmes plus Jean. Et acte II, scène I, au f. 31, Clochet, Pellerin, Landrieu. Le personnage de Lucie a la particularité d'avoir un double nom : d'abord Laure, puis Lucie. D'abord, au f. 1 : *Canoris, Laure et Sorbier sont assis, l'un sur une malle, l'autre sur un vieil escabeau, le troisième sur le fourneau.* Cette nomination des personnages est associée à une description scénique approximative. Puis, toujours au f. 1, *Canoris, Sorbier, François, Laure, Henri.* Mais cette fois-ci, le nom de *Laure* est raturé; et celui de *Lucie* lui est surimposé. La mutation est rapide; elle est localisée. En effet, elle vient d'un voisinage nominal et phonique. Si la première chaîne sonore préservait l'existence phonétique de Laure, la seconde la détruisait. D'où la nécessité de lui substituer un autre nom. Et le second syntagme a contribué à la formation du nouveau nom; celui-ci est apparu comme un dissyllabe terminé par la voyelle *i*, sur le modèle d'Hen-ri, et sous l'effet de la consonne fricative de Fran-çois : Lu-cie. Ce nom, dégagé de la triade, demeure plus sonore que le premier.

On a vu, dans la topographie du grenier, que la signification de Lucie convenait à la construction ténébreuse : Lucie est lumière associée à la nuit. Cette interprétation étymologique et traditionnelle détermine un champ visuel. Mais elle se réfère aussi au fonctionnement de l'œil, au regard. Et, dans une lecture mythologique du regard qui nous est apparu essentiellement gorgonien, il n'est pas inutile de mentionner des éléments d'une autre origine, mais qui rejoignent la même symbolique oculaire. Lucie est une sainte syracusaine et une vierge martyre. Selon la légende, elle se serait privée des ses yeux pour conserver sa pureté. Ne pas regarder a le sens de ne pas voir ce qui est extérieur et contraire à ce qu'on est. C'est vouloir ne pas savoir et surtout ne pas être coupable. Cette Lucie qui anéantit son regard est la patronne des aveugles. Mais on peut dire dans un mouvement antithétique que ne pas regarder, c'est mieux voir. C'est voir au-dedans de soi ce qui est permanent et unique, non plus variable selon les motivations extérieures; c'est voir aussi, au-delà des apparences, ce qui est essentiel. Le culte dont elle est l'objet a inspiré une sorte d'hyperbole oculaire : on l'a représentée non seulement avec ses deux yeux, mais, comme par redoublement, avec une autre paire d'yeux; on a entouré ses effigies et ses reliques, d'innombrables ex-votos qui représentent la paire d'yeux sous la forme d'un demi-masque. Enfin, on a fait de cette Lucie voyante, la patronne des photographes. En tout cas, Lucie est un personnage d'une certaine lumière et d'un certain regard.

C. – Des différences significatives

Le dialogue entre Lucie et Sorbier, bref dans le manuscrit (ff. 9-10), se développe dans l'édition (pp. 99 et 100). Il a pour objet la connaissance de soi que Lucie augmente de la perspective du passé, et Sorbier, d'un projet d'avenir immédiat.

F. 14 : le manuscrit n'a pas les considérations sur la culpabilité d'Henri, de Sorbier et de Canoris, qui sont importantes dans l'édition (pp. 107 à 111).

F. 29 : *et puis tu seras notre témoin. Une mort sans témoin, c'est glacial.* Cette citation permet de corriger l'édition fautive (p. 129) : *tu seras notre témoin, c'est glacial.* C'est aussi un contre-sens. La présence d'un regard vivant, au moment de la mort, peut fixer dans la vie ce qui disparaît.

ACTE II

A. – *Les propos érotiques des miliciens (f. 36)*

PELLERIN

Je regarde le coucher de soleil.

LANDRIEU

Veinard! Moi, j'en ai assez vu, des couchers de soleil et la campagne ne me fait pas rigoler. Il a fallu que ces enfoirés d'au-dessus se mettent à jouer au Jules... (*Il mange.*) Tu as vu la souris que j'avais à Grenoble?

PELLERIN

Non.

LANDRIEU

Elle était roulée, je te jure. Demande à Clochet, il ne se privait pas de la reluquer.

CLOCHET

Ce n'est pas vrai.

LANDRIEU

Ce n'est pas vrai? Je ne t'ai pas surpris à lui regarder les nichons par en dessous quand elle se baissait?

CLOCHET

Non, ce n'est pas vrai.

PELLERIN

Il n'y a pas de mal à ça, Clochet.

CLOCHET

Ce n'est pas vrai.

PELLERIN

Ne t'émeus pas. Tu es puceau?

CLOCHET

Les femmes ne m'intéressent pas.

(*Un temps.*)

LANDRIEU (*à Pellerin*)

Alors? Tu bouffes?

Ce dialogue, barré d'une grande croix, n'a pas laissé de marque dans l'édition. Sans doute, superflu. Pourtant, il meuble le temps du repas. Et surtout, sans négliger le regard, il montre les penchants de Landrieu, de Pellerin qui viole Lucie et de Clochet qui ne s'intéresse pas aux femmes.

B. — L'interrogatoire d'Henri (ff. 37 et 38)

LANDRIEU

Asseyez-le. Ôtez-lui ses menottes. Attachez ses mains aux bras du fauteuil. (*Les miliciens exécutent ses ordres au fur et à mesure.*) Comment t'appelles-tu?

HENRI

Henri.

LANDRIEU

Henri quoi?

HENRI

Henri.

(*Geste de Landrieu. Les miliciens frappent Henri.*)

LANDRIEU

Alors? Comment t'appelles-tu?

HENRI

Henri.

(*Les miliciens le frappent.*)

LANDRIEU

Ça va. Ne l'abrutissez pas. On verra tout à l'heure. Quel âge as-tu?

HENRI

Trente ans.

LANDRIEU

Qu'est-ce que tu faisais, avant?

HENRI

Ma médecine.

PELLERIN (*brusquement furieux*)

Un médecin, tu n'as pas honte? Tu savais ce que tu faisais, cochon, tu as de l'instruction; tu trahissais ta classe et c'est des types comme toi qui ont pourri les Français en leur mettant toutes ces sales idées en tête.

HENRI

Tu as besoin de t'exciter avant de te mettre à l'ouvrage?

UN MILICIEN

Ta gueule. (*Il cogne.*)

LANDRIEU

Est-ce que j'ai dit de cogner? (*Les miliciens s'arrêtent.*) Faites ce qu'on vous dit. Pas de zèle. Pourquoi es-tu entré chez les terroristes?

HENRI

J'aime la liberté.

Ce texte est barré d'une grande croix. Il est repris au f. 39, mais modifié de sorte que l'interrogatoire devient plus elliptique et plus saccadé; c'est celui de l'édition (pp. 141 et 142).

C. – Le concept de tableau *(ff. 49 et 65)*

Le mot apparaît à divers niveaux du texte. La première manifestation est au f. 14, dans le discours d'Henri. Celui-ci parle de la musique des miliciens, qu'on pourrait entendre de la ferme : « *Elle entre par la fenêtre, elle tourne au-dessus des cadavres. La musique, le soleil : tableau. Et les corps sont tout noirs.* » Le tableau d'Henri est une figure antiphrasique. Néanmoins, il demeure bien une représentation visuelle qu'il serait facile de peindre. Il indique un lieu, un éclairage, des objets : ferme, fenêtre, cadavres... Il est particulièrement lié, par un rapport explicatif, à deux d'entre eux, la musique et le soleil. Et ce qu'il représente a une caractérisation visuelle : la musique elle-même ne fait pas exception; elle est personnifiée et devient visible.

Comme le discours de Sorbier a donné le titre de la pièce, celui d'Henri a proposé à l'écrivain en train de produire son texte, le terme d'une subdivision de l'acte, puis celui d'un substitut de l'acte. Au f. 49, le *tableau* indique une division de l'acte II : il marque un changement de lieu et de personnages, comme on l'a noté dans l'organisation du texte; la division est visuelle. Mais la frontière du décor semble aussi délimiter un système de conscience. La démarcation est ainsi celle d'un département de la pensée. Au f. 65, le *tableau* n'est plus une division de l'acte; il y a coïncidence entre le *tableau* et l'acte, comme on l'a déjà vu; l'un est égal à l'autre. Le *tableau* devient alors l'unité du décor et de la conscience. Il tend à éliminer l'acte, doublet inutile et encombrant.

Son évolution sémantique dans le manuscrit appelle une définition du concept. Le tableau est une construction dramatique, née de la rencontre d'une forme visuelle et d'une forme de conscience. Ces deux formes sont distinctes, mais elles ne sont pas contraires; elles sont reliées par des affinités qui renforcent leur correspondance. La forme de la conscience est pleine de regard, du regard qui tisse ses échanges entre son foyer et ce qui lui est extérieur, et du regard qui s'y réfléchit. La forme visuelle donne à voir le geste multiple de ce regard. Le tableau est donc le spectacle du regard dans son décor et dans sa profondeur. Le spectacle s'intensifie parfois au point de se dédoubler en un autre spectacle; dans cet instant de spectacle dans le spectacle, le personnage n'est plus ce qu'il était; il apparaît masqué : masque de Canoris qui veut « parler »; masque d'Henri torturé qui va crier, mais imposé par un autre; masque de Sorbier qui joue le traître; masque de Jean qui parade en victime. Ce spectacle exalte le regard du spectateur et, même, transforme l'acteur regardant en spectateur.

Le tableau a un autre caractère spectaculaire. On parle de tableau vivant quand un groupe de personnages représente un tableau célèbre. Or les personnages de *Morts sans sépulture*, les morts sans sépulture qui sont mis en évidence par le titre même, qui constituent le groupe le plus signifiant et qui sont définis par un stéréotype antique, accomplissent des gestes fondamentaux de l'homme devant le sacrifice et la mort. Ils reproduisent des exemples mythiques, des scènes qui appartiennent à la mémoire de l'homme : l'épiphanie gorgonienne, mais aussi l'immolation du fils, la mère et l'enfant mort, le suicide.

Un dernier caractère. Le tableau immobilise les personnages par le fait qu'il les transforme en objets visuels, qu'il concentre sur eux un éclairage archétypique et les présente comme des figures du destin. Mais il y a plus. Le regard gorgonien en fait des personnages qui se figent, des hommes pétrifiés.

D. – La mort de François (ff. 53-59)

Le travail de l'écrivain est important. Il porte sur une phase où la tension dramatique est grande, un moment de convergence des regards qui aboutissent à la pétrification définitive de François et à une résonance métamorphique des autres.

F. 53 LUCIE

Prends garde. Si tu parles, tu nous fais perdre et tu leur rends la paix du cœur. Ils auront eu raison de nous battre puisqu'on fait parler les hommes en les battant. Ils ne sont pas à l'aise, je t'en réponds, parce que nous sommes vivants au-dessus de leur tête et que nous n'avons rien dit. De longtemps, ils n'aimeront pas se rappeler mes yeux. Je ne veux pas que tu parles. Je ne veux pas qu'ils puissent causer de moi avec un sourire, en disant : avec
F. 54 la môme, on a bien rigolé. Te tairas-tu?

FRANÇOIS

Je ferai ce que je pourrai.

(*Silence.*)

HENRI, *à Jean.*

Eh bien, Jean! Qui avait raison? Elle veut gagner.

JEAN

Tais-toi! (*Il se lève.*) Comme vous êtes sûrs de vous! Comme vos consciences sont tranquilles. Tu as le droit pour toi, hein? Tu peux me torturer : tu as payé d'avance. Eh bien sache que je suis plus malheureux que vous tous.

FRANÇOIS (*se redresse brusquement et se met à rire.*)

Ha! Ha!

JEAN (*criant.*)

Le plus malheureux! Le plus malheureux!

FRANÇOIS (*se lève et va se planter devant Jean.*)

Le plus malheureux, vraiment? Il a dormi et mangé, ses mains sont libres, il va revoir les copains. Seulement, voyez-vous, c'est le plus malheureux. Salaud!

JEAN (*se croisant les bras.*)

Bien!

FRANÇOIS

J'attends, je tressaille à tous les bruits, je ne peux plus avaler, j'agonise. Mais c'est lui le plus malheureux. Eh bien nous verrons quand je t'aurai dénoncé si tu ne peux pas être plus malheureux encore.

LUCIE (*s'est levée à son tour.*)

François!

JEAN

Mais dénonce-moi donc! Tu ne peux pas savoir comme je le désire.

LUCIE (*à François.*)

Regarde-moi. Si tu parles, je meurs désespérée. Oseras-tu le faire?

FRANÇOIS

Ce sont des mots. Si je parle, ils vous laisseront tranquilles et peut-être nous feront-ils grâce de la vie.

LUCIE

Je ne veux pas de cette vie-là.

CANORIS (*qui est resté assis.*)

Et les copains, François?

FRANÇOIS

Eh bien quoi? Ma peau vaut la leur.

(*Henri se lève. Il va vers Lucie.*)

HENRI

Lucie. Es-tu sûre qu'il parlera?

LUCIE (*regarde François.*)

Oui. (*Un temps. Henri et Lucie se regardent. À Henri.*) Va.

(*Henri se rapproche de François.*)

FRANÇOIS

Qu'est-ce que tu... (*Il recule.*) Je ne veux pas mourir. Au secours! (*Henri l'a pris à la gorge. Lucie leur tourne le dos.*)

JEAN

Henri! Je ne laisserai pas...

(*Il fait un pas. Lucie se place devant lui.*).

Le texte, précédé d'un trait horizontal de la largeur de la feuille, est barré de grands traits.

C'est la première rédaction du meurtre de François. Elle met en place les principaux éléments de la scène définitive, les articulations du discours dramatique et les positions des personnages. François s'effondre tout d'un coup; à la vue de sa sœur, il sent qu'il n'aura pas la force de résister à la torture. Lucie lui défend de céder; sinon, sa conduite avec les miliciens aura été une défaite. Jean intervient avec éclat, en déclarant qu'il est le plus malheureux. François, provoqué, est prêt à le dénoncer. Mais Lucie, qui a tenté de dissuader son frère, dresse contre lui Canoris et Henri. Ce dernier saisit François à la gorge. Jean intervient de nouveau. Cette première esquisse, qui s'arrête au moment où les résistants vont étrangler François, manque de relief et d'accentuation pathétique. La tension du dialogue peut paraître insuffisante pour rendre plausible le meurtre. D'une part, Lucie ne présente à son frère que des réflexions générales sur les conséquences d'une lâcheté possible. D'autre part, François ne dit ni, avec éclat, son désir de délation, ni, avec intensité, son goût de vivre. Entre les deux pôles, Jean a une démarche encore incertaine.

FRANÇOIS

F. 55 À tous les bruits, je sursaute, je ne peux plus avaler ma salive, j'agonise. Mais je ne suis pas malheureux, moi : je mourrai dans la joie. Attends un peu : je vais te dénoncer pour te rendre un peu de bonheur.

LUCIE (*se levant en sursaut.*)

François!

JEAN (*à voix basse et rapide.*)

Ne parle pas tant, imbécile. Et dénonce-moi si tu veux : tu ne peux pas savoir comme je le désire.

LUCIE (*prenant François par la nuque et lui tournant la tête vers elle.*)

Regarde-moi. Regarde-moi en face. Là. Oseras-tu parler à présent?

FRANÇOIS

Pourquoi pas? Je te sauverai : ils nous feront grâce de la vie.

LUCIE

Je ne veux pas d'une vie de honte.

FRANÇOIS

Moi j'accepte n'importe quelle vie : la honte, ça passe.

CANORIS

Les copains, auras-tu le courage de les vendre?

FRANÇOIS

Ma peau vaut la leur!

F. 56 (*Un temps. Henri se lève et va vers Lucie.*)

HENRI (*à Lucie.*)

Tu crois qu'il parlera?

LUCIE (*se tourne vers François et le dévisage longuement.*)

Oui.

HENRI

Tu en es sûre.

LUCIE (*après une longue hésitation.*)

Oui.

(*Henri marche vers François.*)

FRANÇOIS

Qu'est-ce que tu...? (*Il recule.*) Je ne veux pas mourir! Je ne veux pas mourir. Laisse-moi, tu n'as pas le droit. Quand tu les sauverais tous, tu n'effacerais pas ma mort. (*Henri le prend à la gorge.*) Je ne parlerai pas; je te jure que je ne parlerai pas.

HENRI

Trop tard. Je ne peux plus avoir confiance.

FRANÇOIS

Je ne veux pas crever ici. Pas dans ce désespoir et cette nuit. Henri! J'ai quinze ans, laisse-moi vivre. Ne me tue pas dans le noir. (*Henri le serre à la gorge.*) Lucie! (*Lucie détourne la tête.*) Au secours! Je vous hais tous!

JEAN

Henri! Je t'ordonne...

LUCIE (*se met devant Jean.*)

De quoi te mêles-tu? (*Jean essaye de l'écarter. Elle se cramponne à lui.*) Tu ne passeras pas; ce serait trop commode. Tu as trop de vertu pour te dénoncer mais tu ne détesterais pas que quelqu'un s'en charge à ta place. Tu nous l'envies, hein? la palme du martyre. Ne bouge pas!

JEAN

C'est ton frère!

LUCIE

Après? Il devait mourir demain.

JEAN

Est-ce bien toi? Tu me fais horreur.

LUCIE

N'avance pas. Il faut qu'il se taise. Peu importe le moyen.
(*Ils luttent. Canoris se lève et vient se placer près de Lucie.*)

CANORIS

Laisse, Jean. Tu ne peux rien dire, tu ne peux rien faire : tu es absent parmi nous.

FRANÇOIS (*d'une voix faible.*)

Au secours!

(*Ils se taisent et restent immobiles.*)

HENRI (*doucement, à mi-voix.*)

C'est la reprise de l'ensemble précédent (ff. 53 et 54). Cependant la partie supérieure du f. 55 n'est pas raturée; elle se rattache au texte du f. 53 : *François / Je ne sais plus. Il me restait un peu de courage, mais il n'aurait pas fallu que / (f. 55) je te revoie. Tu es là, avec tes cheveux défaits [...].* C'est le lieu de la coupure du f. 53, qui précède *Lucie / Prends garde. Si tu parles* [...]. Et elle va jusqu'à *François / [...] qu'on te plaigne? Salaud! / — Jean (qui s'est croisé les bras) / Bien*, ce qui précède *François / À tous les bruits je sursaute* [...], qui est, de nouveau, raturé. Cette section, non raturée, du f. 55 est passée telle quelle dans l'édition (pp. 171 à

173), à l'exception de la repartie de Lucie, qui est légèrement modifiée et développée, et qui devient plus violente.

La partie inférieure du f. 55 et tout le f. 56 sont barrés d'une grande croix. Ils ont été rédigés d'un même mouvement de plume que la partie conservée du f. 55. La rédaction couvre l'ensemble précédent et dépasse le commencement de l'intervention de Jean (f. 54) : François agonise et Jean affronte ici Lucie et ses deux compagnons, qui ont décidé de tuer François. En même temps qu'une intensification du regard, qui apparaît, d'ailleurs, dans l'emploi répété du verbe *regarder* lui-même, on remarque une dramatisation plus marquée : le dialogue de Jean et de François est plus vigoureux; le temps de réflexion, avant la décision du meurtre, est plus développé; les accents de François, qui va mourir, sont plus émouvants : il renonce à trahir; il dit sa jeunesse, son ardeur à vivre, son horreur de mourir dans la nuit du grenier, étranglé. Enfin, l'intervention de Jean, dont le rôle est considérable et, à ce moment-ci, favorable à François, a progressé. Cependant, quelques éléments ont pu causer l'insatisfaction de l'écrivain : le mépris de Jean pour François, quelque peu contradictoire avec la démarche en sa faveur; la persistance d'arguments vagues et extérieurs à une mort immédiate : que vaut la réflexion sur le salut de copains qu'on ignore, quand on va mourir? Et surtout la position de Jean, qui a provoqué l'arrêt de la rédaction du manuscrit : comment des prisonniers menottés, et notamment Lucie, peuvent s'opposer à Jean qui a les mains libres? comment peuvent-ils le neutraliser physiquement?

F. 57

FRANÇOIS

À tous les bruits je sursaute, je ne peux plus avaler ma salive, j'agonise. Mais le plus malheureux, c'est lui, bien sûr : moi je mourrai dans la joie. (*Avec éclat.*) Je te rendrai le bonheur, va!

LUCIE (*qui se lève brusquement.*)

François!

FRANÇOIS

Je te dénoncerai! Je te dénoncerai! Je te ferai partager nos joies.

JEAN (*d'une voix basse et rapide.*)

Fais-le : tu ne peux pas savoir comme je le désire.

LUCIE (*prenant François par la nuque et lui tournant la tête vers elle.*)

Regarde-moi en face. Oseras-tu parler?

FRANÇOIS

Oser! Voilà bien vos grands mots. Je le dénoncerai, voilà tout; ce sera tellement simple : ils s'approcheront de moi, ma bouche s'ouvrira d'elle-même, le nom sortira tout seul. Et je serai d'accord avec ma bouche. Qu'y a-t-il à oser? Quand je vous vois, pâles et crispés, avec vos airs maniaques, votre mépris ne me fait plus peur. (*Un temps.*) Je te sauverai, Lucie. Ils nous laisseront la vie.

LUCIE

Je ne veux pas de cette vie.

FRANÇOIS

Et moi j'en veux. Je veux de n'importe quelle vie. La honte, ça passe, quand la vie est longue.

CANORIS

Ils ne te feront pas grâce, François. Même si tu parles.

FRANÇOIS (*désignant Jean.*)

Au moins je le verrai souffrir.

HENRI (*se lève et va vers Lucie.*)

Tu crois qu'il parlera?

LUCIE (*se tourne vers François et le dévisage.*)

Oui.

HENRI

Tu en es sûre?

(*Ils se regardent.*)

LUCIE (*après une longue hésitation.*)

Oui.

(*Henri marche vers François.*)

FRANÇOIS

Qu'est-ce que tu... (*Il recule.*) Tu n'as pas le droit! Tu n'as pas le droit! Je ne veux pas mourir. (*Henri le prend à la gorge.*) Je ne parlerai pas; je te jure que je ne parlerai pas.

HENRI

Mon pauvre petit, tu n'auras pas la force de te taire : tu es trop faible. Je ne te juge pas.

FRANÇOIS

f. 58 Je ne veux pas mourir ici. Pas dans cette nuit. Henri, j'ai quinze ans, laisse-moi vivre. Ne me tue pas dans le noir. (*Henri le serre à la gorge.*) Lucie! (*Lucie détourne la tête.*) Je vous hais tous!

JEAN

Lâche-le! Je t'ordonne de le lâcher.

LUCIE (*lui barrant le passage.*)

De quoi te mêles-tu? (*Jean tente de l'écarter; elle se cramponne à lui.*) Tu ne passeras pas : ce serait trop commode. Tu veux qu'il te dénonce, hein? Tu nous l'envies la palme du martyre? Ne bouge pas.

JEAN

C'est ton frère!

LUCIE

Après? Il devait mourir demain.

JEAN

Est-ce bien toi? Tu me fais peur.

FRANÇOIS (*faiblement.*)

Au secours!

(*Jean essaye de repousser Lucie. Canoris se lève et se place auprès d'elle.*)

CANORIS

Laisse, Jean. Tu n'es que notre témoin.

FRANÇOIS

Au secours!

HENRI (*penché sur François.*)

Mon petit, mon pauvre petit.

LUCIE (*sans se retourner.*)

Fais vite.

HENRI

Je ne peux pas. Ils m'ont à moitié brisé les poignets.

(*Un temps.*)

LUCIE

Est-ce fait?

HENRI

Il est mort dans la rage et la peur.

(*Lucie se retourne et prend le corps de François dans ses bras. La tête de François repose sur ses genoux.*)

JEAN

Tu as tué un môme.

HENRI

Oui.

JEAN

Tu l'as tué à cause de moi.

HENRI

À cause de nous.

JEAN

Il ne se défendait même pas. Tu ne te fais pas horreur?

F. 59

HENRI

Si je me fais horreur, personne ne le saura. J'ai fait ce qu'il fallait faire.

JEAN

Comment peux-tu en être sûr?

CANORIS

Tu n'es pas dans le coup, Jean. Tu ne peux ni comprendre, ni juger.

(*Un long silence. Lucie caresse les cheveux de François sans le regarder.*)

LUCIE

Tu es mort. Je te survis et mes yeux sont secs. Tu as glissé hors de moi sans laisser de vide. Dans vingt-quatre heures, je serai comme toi, morte et nue, sans même une main pour caresser mes cheveux; d'ici là, je ne te pleurerai pas : j'ai d'autres soucis. Mais je dis que ta mort est injuste, puisque tu ne l'as pas acceptée. Nous nous battions pour la justice et nous avons fait le mal. Les Allemands seront chassés et la justice va renaître; mais toi, tu ne renaîtras pas, ta mort restera en suspens, sans remède; aucun triomphe ne pourra l'effacer. Et quand il n'y aurait qu'elle, ce monde serait mauvais. Adieu. Tu as fait ce que tu as pu. Si tu t'es arrêté en route, c'est que la force t'a manqué. Personne n'a le droit de te blâmer.

CANORIS

Personne.

HENRI

Personne.

La nouvelle reprise, la seconde, n'est pas barrée, mais elle diffère de l'édition. D'où les comparaisons avec l'état précédent du manuscrit et l'édition. (Par rapport aux diverses rédactions du manuscrit, le texte de l'édition constituerait le quatrième état du passage.) La deuxième reprise intègre le meurtre de François et son retentissement, diversifié selon les personnages; et elle va vers le grand dialogue de Lucie et de Jean, qui précède la libération de ce dernier.

Elle est caractérisée par une double évolution. D'abord, l'argumentation se resserre autour du thème de la dénonciation. Ce qui semblait trop extérieur, ou contradictoire, disparaît. François met en évidence, lui-même, sa délation; il en considère les conséquences comme avantageuses : obtenir la vie sauve; absorber en vivant ce qui pourrait paraître, un moment, négatif, comme la honte; faire souffrir celui qui le désire. Par ailleurs, le drame prend une coloration différente. Les paroles et les gestes s'accomplissent avec aisance, comme s'ils étaient portés par un destin complaisant et s'ils glissaient dans un drame fluide. Rien de plus simple et de plus naturel que de livrer Jean aux miliciens : *la bouche s'ouvrira d'elle-même, le nom sortira tout seul.* Aucune résistance : c'est même le désir le plus profond de Jean. Mais le mouvement irrésistible qui conduit au meurtre de François est aussi fait de simplicité, de douceur, de compréhension et de pitié. Cette facilité générale est un aspect vraiment nouveau. Cependant la neutralisation de Jean, physiquement le plus fort, et qui n'est pas moralement maîtrisé, demeure problématique. Et une certaine confusion entre les polarités simultanées de Jean qui veut intervenir et de François qu'on étrangle n'est pas encore résolue. De plus, le fait considérable de l'assassinat dans le progrès du drame suscite peu de résonances et trouve sa conclusion dans une manière d'oraison funèbre de Lucie. L'épisode centré sur François est suivi brusquement de la grande explication entre Jean et Lucie.

L'édition pallie ces inconvénients (pp. 173-183). L'intervention de Jean est neutralisée. La parade physique des résistants est supprimée. Mais leur attaque purement morale éveille la responsabilité de Jean, son sens de la justice. Elle est efficace. Jean décide de renoncer à son acte. La confusion, due à la dualité des tensions, est résorbée par l'organisation dramatique d'actes enchaînés et successifs. C'est Henri — et le même personnage — qui achève de convaincre Jean et qui étrangle ensuite François. Enfin, la mort de François n'est plus dépourvue d'échos importants. Elle déclenche une série de réflexions morales qu'échangent surtout entre eux Jean et Henri, comme symétriquement par rapport au dialogue qui a conduit à la mort. Ces considérations sur les mobiles de l'acte sont placées entre le meurtre et la brève oraison funèbre de Lucie.

E. – Le dialogue de Jean et de Lucie (ff. 59-63)

Ce passage du manuscrit manifeste également un travail important de l'écrivain. C'est un grand dialogue de Jean et de Lucie — et leur dernier échange de paroles.

F. 59 (*Un long silence, puis Jean vient s'asseoir par terre auprès de Lucie.*)

JEAN

Lucie! (*Elle fait un geste.*) Ne me chasse pas. Je voudrais t'aider.

LUCIE

Je n'ai pas besoin d'aide.

JEAN

Si. Je crois que si. J'ai peur que tu ne te brises.

LUCIE

Je tiendrai bien jusqu'à demain soir. (*Elle le regarde.*) Qu'est-ce que tu viens chercher ici? Ah oui! Tu veux te rendre utile. Que vas-tu m'offrir? Ta pitié?

JEAN

As-tu oublié que je t'aime?

LUCIE

Tu m'aimes? Regarde-moi donc. Est-ce qu'on peut encore m'aimer?

JEAN

Je t'aime.

LUCIE

C'est une autre que tu aimais.

JEAN

C'est toi.

LUCIE

Je suis une autre.

JEAN

Tu es toi. Et demain, morte, avec tous ces trous dans ton visage, tu seras encore toi. C'est toi que j'aime.

LUCIE

Bon. Tu m'aimes. Et puis? (*Elle se recule.*) Écarte-toi : je sens ta chaleur. Tu es moite, l'amour est moite. Je voudrais être un bloc de glace.

F. 60 JEAN

Tu m'aimais aussi.

Jean

Tu m'aimais aussi.

Lucie

Moi aussi. Et j'aimais mon frère que j'ai laissé derrière mon dos. ~~Pourquoi viens-tu me parler de notre amour? C'est si loin. Et puis il n'avait vraiment aucune importance.~~

Notre amour est si loin [illegible]

Jean

Tu mens! Tu sais bien que tu mens. Rappelle-toi: c'était notre vie; rien de plus et rien de moins que notre vie. Tout ce que nous avons vécu, nous l'avons vécu à deux. Ta fatigue, tes travaux, c'était notre fatigue, nos travaux.

Lucie

Et ma mort? Sera-t-elle notre mort?

Jean

C'est toi qui me force à te survivre.

Lucie

Cela se peut bien mais je mourrai seule.

Jean

Dans huit jours, je t'aurai rejointe. ~~[illegible]~~

Lucie

Huit jours? C'est toute une vie.

Jean

~~Mais qu'est-ce donc qu'il faut te dire?~~

Lucie

~~Rien~~. Je ne souffre pas, ~~et~~ je n'ai pas besoin de consolations. ~~Ils ont touché un fragment dans mon~~ orgueil et je ne suis plus qu'un désert d'orgueil. Je souhaite seulement qu'ils reviennent vite me chercher et qu'ils me battent pour que je puisse me taire encore et me moquer d'eux et leur faire peur. Je ne pense qu'à eux, ma place est au milieu d'eux, je me sens plus proche d'eux que de toi.

Souvre ce mon douleur dans mon ~~[illegible]~~ écharde; comme une sentir [illegible] me taire et voir leurs yeux avec agents c'est la seule joie qui me reste — Je voudrais [illegible] dit ton amour: c'est fade. Toute ! fade. Je voudrais [illegible] me sentir [illegible] de douleur, [illegible]

Jean

(Crois-tu?) Écoute: je ne songe pas à te consoler, au contraire: je pense que tu te venges de ne pas souffrir. Mais si tu voulais, nous pourrions encore dire nous. Toute cette souffrance que tu refuses est en moi, elle t'attend; dis un mot et elle deviendra notre souffrance; tout ce qu'ils t'ont fait c'est à nous qu'ils l'ont fait; et François, que tu ne peux pas pleurer, c'est moi qui le pleure — pour nous deux: je me moque que sa mort soit injuste, je regrette ses sourires, sa voix, tous les gestes qu'il ne fera plus, comme s'il était mort dans son lit et que j'étais son père. Si tu pouvais seulement retrouver une larme ... (Il veut la prendre dans ses bras)

Lucie

Ne me touche pas. (Un temps) Tu sais bien que nous sommes séparés. Tu n'as rien ressenti, tu imagines tout. As-tu les poignets écrasés, comme Henri? As-tu des plaies aux jambes, comme Canoris? Allons, c'est une comédie.

Jean

Alors? Qu'est-ce qu'il faut pour être des vôtres? S'il suffit de souffrir dans sa chair, ce n'est pas difficile. (Il cherche du regard autour de lui, avise un lourd chenet et s'en empare)

Lucie

Qu'est-ce que tu fais?

Jean (étalant sa main gauche sur le plancher. Les frappe avec le chenet qu'il tient de la main droite)

J'en ai assez de vous entendre vanter vos douleurs comme si c'étaient des mérites. J'en ai assez de les sentir me frôler, glisser le long de ma peau sans jamais entrer en moi. J'en ai assez de vous regarder avec des yeux de pauvre. Ce qu'ils vous ont fait, je peux me le faire: c'est à la portée de tout le monde.

LUCIE

Mais oui. Et j'aimais mon frère que j'ai laissé tuer derrière mon dos. // Pourquoi viens-tu me parler de notre amour? Il est si loin. Et puis il n'avait vraiment aucune importance. //*

[Notre amour est si loin. Pourquoi viens-tu m'en parler]*

JEAN

Tu mens! Tu sais bien que tu mens. Rappelle-toi : il était notre vie; rien de plus et rien de moins que notre vie. Tout ce que nous avons vécu, nous l'avons vécu à deux. Ta fatigue, mes travaux, c'était notre fatigue, nos travaux.

LUCIE

Et ma mort? Sera-t-elle notre mort?

JEAN

C'est toi qui me force à te survivre.

LUCIE

Cela se peut bien, mais je mourrai seule.

JEAN

Dans huit jours, je t'aurai rejointe, // je te le jure. //

LUCIE

Huit jours? C'est toute une vie.

JEAN

// Mais qu'est-ce donc qu'il faut te dire? //

LUCIE

// Rien. // Je ne souffre pas, je n'ai pas besoin de consolations. // Ils ont voulu me frapper dans mon orgueil et je ne suis plus qu'un désert d'orgueil. // Je souhaite seulement

[sentir la douleur dans ma chair comme une écharde, sentir ce feu rongeant, me taire et voir leurs yeux aux aguets. C'est la seule joie qui me reste. Je me moque bien de ton

---

* Les doubles traits obliques //...// marquent une rature, et les crochets [...], un ajout.

qu'ils reviennent vite me chercher et qu'ils me battent pour que je puisse me taire encore et me moquer d'eux et leur faire peur. Je ne pense qu'à eux. Ma place est au milieu d'eux, je me sens plus proche d'eux que de toi.

amour : c'est fade. Tout est fade. Je voudrais me sentir rongée de douleur, en feu.]

JEAN

[Crois-tu?] Écoute : je ne songe pas à te consoler, au contraire je pense que tu te ronges de ne pas souffrir. Mais si tu voulais, nous pourrions encore dire *nous*. Toute cette souffrance que tu refuses est en moi, elle t'attend; dis un mot et elle deviendra notre souffrance; tout ce qu'ils t'ont fait, c'est à nous qu'ils l'ont fait; et François, que tu ne peux pas pleurer, c'est moi qui le pleure — pour nous deux : je me moque que sa mort soit injuste. Je regrette ses sourires, sa voix, tous les gestes qu'il ne fera plus, comme s'il était mort dans son lit et que j'étais son père. Si tu pouvais seulement retrouver une larme... (*Il veut la prendre dans ses bras.*)

LUCIE

Ne me touche pas. (*Un temps.*) Tu sais bien que nous sommes séparés. Tu n'as rien ressenti, tu imagines tout. As-tu les poignets écrasés, comme Henri? As-tu des plaies aux jambes, comme Canoris? Allons, c'est une comédie.

JEAN

Alors? Qu'est-ce qu'il faut pour être des vôtres? S'il suffit de souffrir dans sa chair, ce n'est pas difficile. (*Il cherche du regard autour de lui, avise un lourd chenet et s'en empare.*)

LUCIE

Qu'est-ce que tu fais?

JEAN (*étalant sa main gauche sur le plancher, la frappe avec le chenet qu'il tient de la main droite.*)

J'en ai assez de vous entendre vanter vos douleurs comme si c'étaient des mérites. J'en ai assez de les sentir me frôler, glisser le long de ma peau sans jamais entrer en moi. J'en ai assez de vous regarder avec des yeux de pauvres. Ce qu'ils vous ont fait, je peux me le faire : c'est à la portée de tout le monde.

F. 61 // LUCIE (*éclatant de rire.*)

Mais mon pauvre Henri //

Comme dans le cas de la première rédaction du meurtre de François (ff. 53 et 54), cette première esquisse couvre presque l'ensemble de l'expression des sentiments et des échanges de Jean et de Lucie. C'est aussi un grand moment du drame du regard. Chacun, par son regard, fixe l'autre dans une forme de connaissance : il construit un mur autour de l'être qui lui est extérieur. De plus, le regard intérieur intensifie la pétrification : Lucie. Et chacun s'efforce d'être spectaculaire : Jean devient un acteur au second degré et transforme les autres en spectateurs; Lucie rêve d'être au milieu de ses ennemis, et de *voir leurs yeux aux aguets*. Enfin, les deux personnages s'affrontent en un dialogue puissamment antithétique. À la compassion de Jean, Lucie oppose l'insensibilité et l'absence de besoins. À l'amour ancien, la mort immédiate. À la tendresse et aux larmes, la dureté de la pierre. À la présence de l'ami, la proximité de l'ennemi. À l'illusion de la souffrance, le viol de la douleur et de la torture.

Le f. 59 n'est pas raturé, mais il n'est pas passé tel quel dans l'édition (pp. 183 et 184). L'antagonisme des personnages ne fait que commencer. Jean voudrait aider Lucie et lui rappelle son amour dans la permanence de son existence. Mais Lucie refuse tout et se dérobe dans un changement de son être. Elle exprime son antinomie en des références thermiques contrastées : d'un côté, ce qui est *moite*, l'homme, la vie, l'amour; de l'autre, le *bloc de glace* qu'elle désire être.

Le passage est modifié, dans l'édition, par une sorte de réflexion du texte qui suit et par un souci d'uniformisation. Ainsi l'opposition *moite/glace* disparaît, car Lucie est passée d'un extrême à l'autre, de la glace au feu. Toutefois, l'image du bloc a survécu en celle de *quelque chose qui a dû se bloquer*. Par ailleurs, la sollicitude de Jean demeure inutile; elle est désormais sans valeur parce que *tout est devenu très simple*. Cette idée de simplicité dans les épreuves difficiles est apparue au f. 57. Et cet argument sépare l'expression de la généreuse pitié, de l'affirmation de l'amour : écart qui donne à cette dernière plus d'élan et plus d'éclat.

Le f. 60 est barré d'une grande croix; des phrases y sont biffées; et des corrections sous forme de notes, ajoutées comme en marge. Au f. 61, un début de repartie clôt la première rédaction; il est raturé. *Henri* est un lapsus.

Les propositions de Jean sont consumées, semble-t-il, dans un discours âpre et heurté, anéanties par Lucie : la première est l'amour; la seconde, la souffrance. L'amour, déjà mis au passé par Jean, est impérieusement éloigné par Lucie, vidé de son essence dans son état ancien, confronté avec une mort déjà présente et vécue dans la solitude. Si l'amour est sans importance, si la mort ne peut être partagé, qu'en est-il de la souffrance? Ne pourrait-elle être commune? Le manuscrit donne trois éléments de réponse : 1. Lucie ne souffre pas. Cette réflexion suscite des images, raturées ou ajoutées, moins définitives que définissantes, non seulement parce qu'elles informeront l'expression finale, mais surtout parce qu'elles contribuent à définir Lucie dans une mythologie du regard : *un désert d'orgueil, sentir ce feu rongeant [...] et voir leurs yeux aux aguets.* Ce passage, qui porte les marques du travail, tend vers un dépassement de cette rédaction. 2. Cette absence de souffrance peut être compensée par une prise en charge de Jean, qui reprend ici un raisonnement de Lucie elle-même (f. 6). Et ce partage pourrait atteindre l'autre dans sa solitude : il peut comprendre cette absence de souffrance; il peut souffrir; il peut pleurer. 3. La souffrance de Jean n'est pas celle de Lucie. Elle n'est qu'une représentation de sa pensée, une *comédie*, une illusion de la souffrance de l'autre. Et s'il se blesse volontairement pour vivre, dans sa chair, la douleur, Lucie éclate de rire, en ébauchant sinon une explication, du moins une différence encore, une négation.

F. 61

JEAN

Tu m'aimais aussi.

LUCIE

Mais oui. Et j'aimais mon frère que j'ai laissé tuer. Notre amour est si loin, pourquoi viens-tu m'en parler? Il n'avait vraiment aucune importance.

JEAN

Tu mens! Tu sais bien que tu mens! Il était notre vie; rien de plus et rien de moins que notre vie. Tout ce que nous avons vécu, nous l'avons vécu à deux.

LUCIE

Ma mort, est-ce que nous la vivrons à deux?

JEAN

C'est toi qui me forces à te survivre.

LUCIE

Cela se peut bien, mais je mourrai seule.

JEAN

Dans huit jours, je t'aurai rejointe.

LUCIE

Huit jours, c'est tout une vie. (*Un temps.*) Laisse-moi, tu m'ennuies. Je ne souffre pas et je n'ai pas besoin de tes consolations.

JEAN

Penses-tu que j'essaie de te consoler? Je veux te rendre le courage de souffrir. Écoute : si tu me fais confiance, nous pourrons encore dire *nous*. Cette souffrance qui te fuit, elle est en moi, elle t'attend; tu n'as qu'à t'y laisser aller, elle deviendra *notre* souffrance; tout ce qu'ils t'ont fait, c'est à nous qu'ils l'ont fait; mon amour, nous porterons tout ensemble; et François, que tu ne peux pas pleurer, c'est moi qui le pleure, pour nous deux. Si tu pouvais retrouver une larme...

LUCIE

Une larme? Je souhaite seulement qu'ils reviennent me chercher et qu'ils me battent, pour que je puisse me taire encore et me moquer d'eux et leur faire peur. Tout est fade ici : l'attente, ton amour, le poids de cette tête sur mes genoux. Je voudrais que la douleur me dévore, je voudrais brûler, me taire et voir leurs yeux aux aguets.

JEAN (*accablé.*)

Tu n'es plus qu'un désert d'orgueil.

LUCIE

Est-ce ma faute? C'est dans mon orgueil qu'ils m'ont frappée. Je les hais mais ils me tiennent. Et je les tiens aussi. Je me sens plus proche d'eux que de toi. (*Elle rit.*) *Nous*? Tu veux que je dise : nous? As-tu les poignets écrasés comme Henri? As-tu des plaies aux jambes comme Canoris? Allons, c'est une comédie : tu n'as rien ressenti, tu imagines tout.

JEAN

Les poignets écrasés... Ha! Si vous ne demandez que cela pour qu'on soit des vôtres, ce sera bientôt fait. (*Il cherche autour de lui, avise un lourd chenet et s'en empare.*)

LUCIE

Qu'est-ce que tu fais?

JEAN (*étalant sa main gauche sur le plancher, la frappe avec le chenet qu'il tient de la main droite.*)

J'en ai assez de vous entendre vanter vos douleurs comme si c'étaient des mérites. J'en ai assez de vous regarder avec des yeux de pauvre. Ce qu'ils vous ont fait, je peux me le faire : c'est à la portée de tous.

(*Lucie éclate de rire.*)

F. 62

LUCIE (*riant.*)

Raté! C'est raté! Tu peux te casser les os, tu peux te crever les yeux : c'est toi, c'est *toi* qui décideras de tes douleurs. Les nôtres ont un goût plus fort parce qu'elles nous viennent des autres et qu'elles nous humilient jusqu'au fond de notre chair. Tu ne nous rattraperas pas.

(*Un temps. Jean jette le chenet et la regarde, puis il se lève.*)

JEAN

Tu as raison : je ne peux pas vous rejoindre. Vous êtes ensemble et je suis seul. Allons, j'ai compris. Je ne bougerai plus, je ne vous parlerai plus, j'irai me cacher dans l'ombre et vous ne me verrez pas. Tâchez d'oublier que j'existe. Je suppose que c'est mon lot, dans cette histoire, et que je dois l'accepter comme vous acceptez le vôtre. (*Un temps.*) Encore un mot. Tout à l'heure une idée m'est venue. Pierre a été tué près de la grotte de Servaz où nous avions des armes. S'ils me laissent aller, j'irai chercher son corps, je mettrai quelques papiers dans sa veste et je le traînerai dans la grotte. Comptez quatre heures après mon départ et, quand ils recommenceront l'interrogatoire, révélez-leur cette cachette. Ils y trouveront Pierre et croiront que c'est moi. Peut-être cesseront-ils de vous torturer.

(*Il va au fond. Long silence. Puis des pas dans le couloir. Un milicien apparaît avec une lanterne. Il promène la lanterne autour de la pièce.*)

LE MILICIEN (*éclairant François.*)

Qu'est-ce qu'il a?

LUCIE

Il dort.

LE MILICIEN (*à Jean.*)

Viens, toi.

(*Jean hésite, regarde tous les personnages avec une sorte de désespoir et suit le milicien. La porte se referme.*)

SCÈNE III

CANORIS, HENRI, LUCIE

HENRI (*riant.*)

Enfin, seul.

LUCIE

Canoris! Henri! Venez près de moi. (*Ils se rapprochent.*) Je vous aime et nous ne faisons qu'un.

Le feuillet 61 n'est pas barré. Mais le texte diffère de celui de l'édition. D'où deux séries de remarques : par rapport à la première rédaction (f. 60) et à la version de l'édition.

1. Par rapport au f. 60. On constate que les annotations et les ajouts du f. 60 sont intégrés au texte. On remarque le souci de la formule dramatique. En effet, l'écrivain dégage l'expression de *désert d'orgueil*, d'une réplique de Lucie et du contexte où elle est née; et il lui donne un plus grand éclat en l'isolant dans une repartie de Jean à Lucie. On note, par ailleurs, une inversion dans l'enchaînement des arguments : au f. 60, nous lisons d'abord la déclaration de Lucie sur son rayonnement panique, puis l'expression de Jean sur le partage et la communion dans la souffrance. Mais, ici, l'ordre est inversé. La raison en est la gradation qui tend vers le plus dramatique, la première étant plus forte que la seconde dans la rédaction du f. 60, et la progression vers la formule du *désert d'orgueil*. Enfin, une marque est mise en évidence : *les poignets écrasés*. Dans l'illusion de la douleur, elle sert de liaison

Lucie (riant)

Raté! C'est raté! Tu peux te casser les os, tu peux te crever les yeux : c'est toi, c'est toi qui décideras de tes douleurs. Les nôtres ont un goût plus fort parce qu'elles nous viennent des autres et qu'elles nous humilient jusqu'au fond de notre chair. Tu ne nous rattraperas pas.

(Un temps. Jean jette le chenet et la regarde, puis il se lève)

Jean

Tu as raison : je ne peux pas vous rejoindre. Vous êtes ensemble et je suis seul. Allons, j'ai compris. Je ne bougerai plus, je ne vous parlerai plus, j'irai me cacher dans l'ombre et vous ne me verrez pas. Tâchez d'oublier que j'existe. Je suppose que c'est mon lot, dans cette histoire et que je dois l'accepter comme vous acceptez le vôtre. (Un temps) Encore un mot [Tout à l'heure une idée m'est venue] : ~~Pierre a été tué~~ près de la grotte de Servaz où nous avions des armes. S'ils me laissent aller, j'irai chercher son corps, je mettrai quelques papiers dans sa veste et je le traînerai dans la grotte. Comptez quatre heures après mon départ et, quand ils recommenceront l'interrogatoire, révélez leur cette cachette. Ils y trouveront Pierre et croiront que c'est moi. Peut-être cesseront-ils de vous torturer.

(Il va au fond. Long silence. Puis des pas dans le couloir. Un milicien apparaît avec une lanterne. Il promène la lanterne autour de la pièce.) ~~Édouard~~

Le milicien (éclairant François)

Qu'est-ce qu'il a?

Lucie

Il dort.

Le milicien (à Jean)

Viens, toi.

(Jean hésite, regarde tous les personnages avec une sorte de désespoir et suit le milicien. La porte se referme.)

Scène III

Canoris, Henri, Lucie.

Henri (riant)

Enfin, seuls.

Lucie

Canoris! Henri! Venez près de moi. (Ils se rapprochent) Je vous aime et nous ne faisons qu'un.

Lucie (riant)

Raté : C'est raté : Tu peux te casser les os, tu peux te crever les yeux : c'est toi, c'est toi qui décideras de tes douleurs. Les nôtres ont un goût plus fort : ce sont d'autres hommes qui nous les infligent — d'autres hommes, bien vêtus, bien propres, bien gras — Chacune d'elle est ~~[illegible]~~ un viol.

Lucie (riant)

Raté! C'est raté! Tu peux te casser les os, tu peux te crever les yeux : c'est toi, c'est toi qui décideras de tes douleurs. Chacune des nôtres est un viol parce que ce sont d'autres hommes qui nous les ont infligées. D'autres hommes, bien vêtus, bien propres et bien gras. Tu ne nous rattraperas pas.

(Un temps. Jean jette le chenet et la regarde. Puis il se lève.

Jean

Tu as raison ; je ne peux pas vous rejoindre : vous êtes ensemble et je suis seul. Je ne bougerai plus, je ne vous parlerai plus, j'irai me cacher dans l'ombre et vous oublierez que j'existe. Je suppose que c'est mon lot dans cette histoire et que je dois l'accepter comme vous acceptez le vôtre. (Un temps) Tout à l'heure une idée m'est venue : Pierre a été tué près de la grotte de Servaz où nous avions des armes. S'ils me ~~laissent~~

entre la blessure d'Henri et celle que Jean désire s'infliger; elle établit un degré d'apparente identité.

2. Par rapport à l'édition (pp. 185-187). L'édition modifie la leçon en deux points. D'abord, l'équation *notre amour = notre vie*, déjà établie, est quelque peu développée. Cette vie, mise au passé, est faite d'attente : attente de la fin de la guerre, attente du mariage, attente des rencontres, attente du soir. Elle tendait vers l'avenir. Or il n'y a plus d'avenir; et l'attente est celle de la mort. Ensuite, une plus grande tendresse amoureuse imprègne les paroles de Jean. L'expression des sentiments s'enrichit, en un développement nouveau (pp. 185 et 186), d'éléments venus d'une rédaction antérieure : larme, imaginer la souffrance de l'autre; ou du reflet d'un geste oublié : m'offrir *ta pitié* (f. 59). Dans cet effort de cohérence, on note une certaine intensification et, encore, la recherche de la formule définitive : *ton cœur est un enfer*, qui dérive de l'image de la sécheresse désertique et du feu dévorant, qu'on veut efficace dans la lucidité et l'orgueil.

Cette partie du f. 62, qui a continué sans interruption la rédaction du f. 61, jusqu'à la scène III, est barrée d'une grande croix. Mais tout cela constitue un ensemble qui reprend et dépasse ce qui avait été écrit en f. 60. Le manuscrit progresse ainsi par vagues successives, qui retraversent du déjà-écrit, en le modifiant plus ou moins, ou en le conservant, et qui élaborent une suite. Nous avons pu le constater déjà dans l'évolution du texte aux ff. 53 et 54, aux ff. 55 et 56, puis aux ff. 57, 58 et 59. Il en est de même pour la scène III, amorcée au f. 62, et reprise et développée aux ff. 63 et 64. L'écrivain vise une double fin : celle de la scène II (écart et départ de Jean) et celle de l'acte (scène III). On distingue trois phases.

1. La souffrance, qui est choisie et voulue, diffère de celle qui est imposée par les autres. L'écart est irréductible. Lucie réduit ainsi Jean au silence.

2. Jean accepte sa condition et propose aux trois résistants un stratagème qui pourra mettre fin à leurs tortures.

3. La chute de l'acte, ou du tableau, se présente sous la forme brève et à peine esquissée de la scène III. Cependant un élément fort est mis en place : le départ de Jean rend les résistants seuls à eux-mêmes; ils ne font qu'un dans une même situation.

F. 62

LUCIE (*riant.*)

Raté! C'est raté! Tu peux te casser les os, tu peux te crever les yeux : c'est toi, c'est *toi* qui décideras de tes douleurs. Les nôtres ont un goût plus fort : ce sont d'autres hommes qui nous les infligent — d'autres hommes, bien vêtus, bien propres, bien gras — Chacune d'elle [est] // entre en nous comme // un viol.

LUCIE (*riant.*)

Raté! C'est raté! Tu peux te casser les os, tu peux te crever les yeux : c'est toi, c'est *toi* qui décideras de tes douleurs. Chacune des nôtres est un viol parce que ce sont d'autres hommes qui nous les ont infligées. D'autres hommes, bien vêtus, bien propres et bien gras. Tu ne nous rattraperas pas.

(*Un temps. Jean jette le chenet et la regarde. Puis il se lève.*)

JEAN

Tu as raison; je ne peux pas vous rejoindre : vous êtes ensemble et je suis seul. Je ne bougerai plus, je ne vous parlerai plus, j'irai me cacher dans l'ombre et vous oublierez que j'existe. Je suppose que c'est mon lot dans cette histoire et que je dois l'accepter comme vous acceptez le vôtre. (*Un temps.*) Tout à l'heure une idée m'est venue : Pierre a été tué près de la grotte de Servaz où nous avions des armes. S'ils me lâchent, j'irai chercher

F. 63

son corps, je mettrai quelques papiers dans sa veste et je le traînerai dans la grotte. Comptez quatre heures après mon départ et quand ils recommenceront l'interrogatoire, révélez-leur cette cachette. Ils trouveront Pierre et croiront que c'est moi. Alors je pense qu'ils n'auront plus de raison de vous torturer et qu'ils en finiront vite avec vous. C'est tout. Adieu.

(*Il va au fond. Long silence. Puis des pas dans le couloir. Un milicien apparaît avec une lanterne. Il promène la lanterne autour de la pièce.*)

LE MILICIEN (*éclairant François.*)

Qu'est-ce qu'il a?

LUCIE

Il dort.

LE MILICIEN (*à Jean*)

Viens toi. Il y a du nouveau pour toi.

(*Jean hésite, regarde tous les personnages avec une sorte de désespoir et suit le milicien. La porte se referme.*)

La réplique de Lucie : *Raté!* [...] est reprise deux fois. Dans le premier texte biffé et compris entre deux traits horizontaux de la largeur de la feuille, les hommes qui torturent les résistants sont qualifiés de *bien vêtus, bien propres, bien gras.* Après une approximation comparative, apparaît l'expression exacte et définitive : *chacune d'elle est... un viol.* La formule convient non seulement à Lucie, mais aux autres résistants, qui sont également humiliés. Elle marque un arrêt et suscite une deuxième reprise. Et elle se place au centre du second texte, qui n'est pas raturé, mais qui n'est pas exactement celui de l'édition. Dans l'édition, l'équation douleur = viol demeure; cependant les tortionnaires sont dépouillés de leurs attributs.

L'intervention de Jean, qui reconnaît que son destin diffère des autres, et son stratagème n'accusent que quelques variantes. Cette reprise passe telle quelle dans l'édition.

F. – La scène III (ff. 63 et 64)

F. 63

SCÈNE III

CANORIS, HENRI, LUCIE

LUCIE

Il est tiré d'affaire, n'est-ce pas?

CANORIS

Je le crois.

LUCIE

Très bien. Voilà un souci de moins. Il va retrouver ses pareils et tout sera pour le mieux. Venez près de moi. (*Henri et Canoris se rapprochent.*) Plus près : il commence à faire froid. Ils t'ont fait crier, Henri, je t'ai entendu. Tu dois avoir honte?

HENRI

Oui.

LUCIE

Je t'aime. Je sens ta honte avec ta chaleur. C'est ma honte. (*À Canoris.*) Tu n'as pas crié, toi : c'est dommage.

F. 64

CANORIS

J'ai honte aussi.

LUCIE

Tiens! Pourquoi?

CANORIS

Quand Henri a crié, j'ai eu honte. // Pour nous et pour eux. Et puis il y a mon corps. Il me fait horreur depuis qu'ils ont tapé dessus : c'est une pauvre chose. //

LUCIE

Alors nous ne faisons qu'un. C'est moi qu'ils ont frappée, c'est moi qui ai crié, c'est moi qui suis morte, c'est moi qui porte tes plaies. Dis, crois-tu que nous finirons par les désespérer?

HENRI

Quand tout sera fini, ils auront de la peine à se regarder dans les yeux.

LUCIE

Comme nous allons nous taire? Ils nous tordront les bras, ils nous casseront les dents et nous serons lavés. Une seule chaleur, une seule honte, un seul silence. Serrez-vous contre moi. Je sens vos bras et vos épaules, le petit pèse lourd sur mes genoux, je suis bien. Depuis qu'il est mort, il est des nôtres. Voyez comme il a l'air dur. Il ferme sa bouche sur un secret. Demain je me tairai pour vous et pour lui. Nous ne nous quitterons plus.

// HENRI

Mon amour.

LUCIE

Tais-toi. Il ne faut plus parler du tout. Le petit est mort, son silence monte de mes genoux à mon ventre; notre silence. Nous gagnerons. //

(RIDEAU.)

L'amorce de la scène III au f. 62 se développe aux ff. 63 et 64. Le texte n'est pas barré, à l'exception de quelques lignes rayées.

L'expression initiale *nous ne faisons qu'un* (f. 62) est si forte qu'elle est conservée et qu'elle inspire l'organisation de la scène. C'est Lucie qui exprime cette formule, dès la première esquisse ; elle la dit encore dans cette leçon. Lucie est le corps central d'un système où les éléments sont liés entre eux et tendent vers l'unité. Lieu de référence et de convergence, elle exerce une attraction sur les autres. Elle tient son frère mort sur les genoux ; elle appelle près d'elle Canoris et Henri. Elle sent leurs formes, leur poids, leur présence thermique. En même temps, elle perçoit les variations morales, l'humiliation, la honte, la volonté de vaincre. Et elle engage, en accélérant le temps, le silence qu'elle partage avec les autres, en un projet du lendemain.

Le texte du manuscrit n'est pas celui de l'édition (pp. 189 et 190). La figure plurielle, centrée sur Lucie, devient plus nette et plus cohérente dans la dernière version. D'abord, l'écrivain élimine les allusions et les références amoureuses, qui paraîtraient bien légères dans une situation si dramatique. Il supprime aussi les questions trop excentriques, quoique intéressantes puisqu'elles touchent au pouvoir culpabilisant de la présence de l'autre, qui éveille le regard réflexif : *nous finirons par les désespérer ? [...] ils auront de la peine à se regarder dans les yeux*. Mais, surtout, il renforce les liens de la scène avec ce qui précède, et l'organisation interne. Ainsi, Jean est rattaché par une double liaison au dialogue. L'évocation de François, placée au début, est vigoureusement intégrée : celui qui était intouchable devient un des leurs ; il peut être l'objet des contacts et des caresses. Et Sorbier, qui n'était pas mentionné dans le manuscrit, est ici nommé et mêlé aux autres. Dans cette expression de synthèse, il n'y a plus que la honte qui est conservée et qui apparaît comme un moyen d'être uni. Enfin, l'importante formule : *nous ne faisons qu'un*, située vers le milieu du texte au f. 64, est mise en valeur à la toute fin de la scène, comme dans la première esquisse (f. 62) : elle est non seulement le point de convergence du dialogue, mais aussi la conclusion de l'acte.

ACTE III

A. – Deux corrections de l'édition (f. 69)

1. Dans l'édition (p. 197), *c'est le type que je veux faire parler*, dit Landrieu. On doit lire : *c'est les types que je veux faire parler*. Ce sont Henri et Canoris, que Landrieu distingue du « môme », qui est François.

2. Et à la même page de l'édition : *Ha! nous n'avons pas cogné assez fort*, dit encore Landrieu. Il faut corriger par : *Hier nous n'avons pas cogné assez fort*.

B. – Le dernier affrontement des résistants et des miliciens (ff. 72 à 76)

F. 72

LANDRIEU

Ils descendent. (*Il va à la radio et l'éteint.*) Des martyrs? C'est même pas des hommes. Des saloperies, des communistes, des enjuivés, voilà ce que c'est. Ils ont tiré dans le dos des nôtres, on ne leur fera jamais assez de mal.

CLOCHET

Même si c'étaient des martyrs, moi, ça ne me gênerait pas.

LANDRIEU

Les voilà. (*Pellerin se lève brusquement et fait disparaître sous la chaire la bouteille et les verres. Ils attendent tous trois immobiles et debout. La porte s'ouvre.*)

SCÈNE II

LES MÊMES, LUCIE, HENRI, CANORIS, TROIS MILICIENS

(*Ils se regardent en silence.*)

LANDRIEU

Le petit qui était avec vous, qu'en avez-vous fait?

(*Ils ne répondent pas.*)

PELLERIN

Assassins!

LANDRIEU

Tais-toi. (*Aux autres.*)

Cette première rédaction écrite à la suite du f. 71, sans interruption, est barrée d'une grande croix.

L'idée de *martyr* renvoie à des variantes antérieures, presque toujours raturées (ff. 70 et 71) :

F. 70

LANDRIEU : Je me fous de leur chef, je veux qu'ils parlent. // Ils ne me feront pas le coup du martyre. Parce que s'ils sont des martyrs, nous, nous sommes des bourreaux. Pas de ça. Eux ou nous. Ce sera nous.

PELLERIN : Il faudra revoir ces blessures sur leurs torses maigres et les yeux de la fille.

LANDRIEU : Ils ne te gêneront plus, ses yeux, quand elle aura jasé.

PELLERIN : Et s'ils ne parlent pas? //

F. 71

LANDRIEU : Ne te casse pas la tête. // Ce n'est pas à moi qu'ils feront le coup du martyre. //

Et plus loin.

CLOCHET : Si c'étaient des martyrs, hein? // (*Landrieu ne répond pas.*) Même si c'étaient des martyrs, moi, ça ne me gênerait pas. //

Au f. 70, il y a l'évocation des traits physiques du martyr. Il est intéressant de noter la liaison des *blessures* des uns et des *yeux* de l'autre, d'où naît la culpabilité Et de constater la peur de voir des yeux pleins de terreur et la hantise d'être pétrifié. La question de Clochet (f. 71) est passée à l'édition (p. 200).

Ainsi la fin de la scène I est polarisée par cette idée de martyr. D'après le texte, les résistants ne sont pas des martyrs; ils ne peuvent être affublés que d'attributs infamants. Et même s'ils étaient des martyrs, cela ne changerait en rien la souveraineté des miliciens. Mais le concept de martyr fixe, au niveau du langage, l'évolution dramatique. Il a suscité un nœud lexical antithétique (martyrs, pas des hommes, des saloperies...); il se heurte d'une manière confuse au terme d'*assassins* de la scène II. Il semble gêner l'action; il ne permet aucun progrès dans la chute de la scène.

F. 72

(*Un temps.*)

LANDRIEU

Ils descendent. (*Il va à la radio et l'éteint.*) Des martyrs? C'est même pas des hommes; on ne leur fera jamais assez de mal. (*Un temps.*) Les voilà.

(*Pellerin se lève et fait disparaître sous la chaire les bouteilles et les verres. Ils attendent tous trois immobiles et debout.*)

SCÈNE II

LES MÊMES, LUCIE, HENRI, CANORIS, TROIS MILICIENS.

(*Ils se regardent en silence.*)

La première reprise du texte (f. 72) est également barrée d'une grande croix. Un trait horizontal de la largeur de la feuille sépare les deux rédactions : il passe au-dessus de l'indication scénique (*Un temps.*), qui est une marque unique, à cette articulation.

On pourrait croire que le discours, où l'expression de *martyr* est cependant conservée, est étonnamment réduit. La première reprise serait moins avancée dans son développement dramatique que les reprises habituelles, qui construisent le texte par déploiements de plus en plus larges. Mais le f. 84, dont le texte a été barré et dont le verso a été utilisé plus tard, déplacé dans le manuscrit, est la suite probable du f. 72 : voir au f. 83, le texte du f. 84. Par ce rappel suffisamment clair, on peut rapprocher les deux fragments de la première reprise, tout en suivant l'état actuel du manuscrit.

L'écrivain a trouvé, dans ce début de scène II (ff. 72 et 84), un élément d'une pleine efficacité dramatique : si les résistants livrent leur chef, ils auront la vie sauve. C'est Landrieu qui propose cette solution possible, mais sans avoir prévenu les miliciens. D'où la violente réaction de Clochet, qui pourrait ouvrir une digression et diminuer la tension dramatique. La première reprise demeure relativement courte : elle présente une proposition forte qu'il faut mettre en place.

F. 73

LANDRIEU

Ils descendent. (*Il va vers la radio et l'éteint.*) S'ils donnent leur chef, je leur laisse la vie sauve.

CLOCHET

Landrieu! Tu es fou!

LANDRIEU

Ta gueule.

CLOCHET

Ils méritent dix fois la mort.

LANDRIEU

Je me fous de ce qu'ils méritent. Je veux qu'ils cèdent. Ils ne me feront pas le coup du martyre.

PELLERIN

Je… Écoute, je ne pourrai pas le supporter. // C'est déjà pénible de les voir avec leur air têtu et ces yeux insolents, quand ils vous regardent. Mais du moins on peut se dire qu'il n'y en a plus pour longtemps. // Si je devais penser qu'ils vivront, qu'ils nous survivront peut-être et que nous serons toute leur vie des souvenirs dans leur tête…

LANDRIEU

Tu n'as pas besoin de t'en faire. S'ils parlent pour sauver leur peau, // ils ne feront plus jamais (?)* les fiers et // ils éviteront de // penser à nous // [se rappeler ce genre de souvenirs]. Les voilà.

(*Pellerin se lève brusquement et fait disparaître sous la chaire les bouteilles et les verres. Ils attendent tous trois, immobiles et debout.*)

SCÈNE II

LES MÊMES, LUCIE, HENRI, CANORIS, TROIS MILICIENS.

(*Ils se regardent en silence.*)

LANDRIEU

Le petit qui était avec vous, qu'en avez-vous fait?

(*Ils ne répondent pas.*)

PELLERIN

Assassins!

F. 74

LANDRIEU

Tais-toi. (*Aux autres.*) Il voulait parler, hein? Et vous, vous avez voulu l'en empêcher.

LUCIE (*violemment.*)

Ce n'est pas vrai. Il ne voulait pas parler. Personne n'a voulu parler.

LANDRIEU

Alors?

HENRI

Il était trop jeune. Ça ne valait pas la peine de le laisser souffrir.

* Le point d'interrogation entre parenthèses (?) indique une lecture incertaine.

LANDRIEU

Qui de vous l'a étranglé?

CANORIS

Nous avons décidé ensemble et nous sommes tous responsables.

LANDRIEU

Bien. (*Un temps.*) Si vous donnez les renseignements qu'on vous demande, vous avez la vie sauve.

CLOCHET

Landrieu!

LANDRIEU

Je vous ai dit de vous taire. (*Aux autres.*) Acceptez-vous?

Les pages du manuscrit ne sont pas barrées. Seulement quelques ratures au f. 73 : une, en particulier, supprime une remarque intéressante. Pellerin redoute de voir les *yeux insolents* qui le *regardent*. C'est comme un écho de la réplique biffée de Pellerin (f. 70) : *revoir [...] les yeux de la fille*. Pellerin est obsédé par le fait d'être regardé.

L'écrivain a placé la proposition motrice de Landrieu à deux endroits : d'abord, elle est dite aux miliciens à la fin de la scène I; la réaction de Clochet n'est plus digressive. Puis, elle est répétée aux résistants. L'exclamation de Clochet n'est plus alors qu'un écho. Ainsi, la proposition donne un élan vigoureux à la conclusion de la scène I, où le concept de martyr est désormais intégré sous la forme dégradée du *coup du martyre*, permet d'enchaîner avec la scène II, qui reprend le début de la première rédaction (f. 72) et tend avec force le ressort du drame.

Le texte est celui de l'édition (pp. 201, 202 et 203), où on relève une variante, *sauver leur vie* au lieu de *sauver leur peau*, et une mauvaise lecture, *chaise* pour *chaire*.

F. 74 LUCIE (*elle se met à rire et se tourne vers Henri et Canoris.*)

Est-ce qu'il se rend compte de ce qu'il nous demande?

HENRI (*lui souriant.*)

Je /n'en ai pas l'impression/ [ne crois pas]. (*Un temps. À Lucie et Canoris.*) Ce moment-ci nous paye de bien des peines.

LANDRIEU

Alors? Oui ou non?

LUCIE

Mais comment êtes-vous si bêtes? Nous voudrions parler que nous le pourrions pas. Nous avons la bouche cousue.

F. 75

LANDRIEU (*il hésite, décontenancé, puis avec chaleur.*)

Vous refusez? Vous donnez trois vies pour en sauver une? Quelle absurdité! (*À Henri, s'approchant et le touchant.*) Toi, réfléchis : par ton silence, tu les perds tous les deux. L'homme, passe encore. Mais la femme? C'est un crime.

HENRI

Un crime? Et vous qui les envoyez au poteau, vous n'êtes pas criminels? Après tout, si notre mort vous fait tant de peine, qui vous empêche de nous libérer sans condition?

LANDRIEU

Vous êtes nos ennemis et j'obéis aux ordres.

LUCIE

Gagné! Nous avons gagné. Tout ce que j'ai voulu oublier cette nuit, je suis fière de m'en souvenir. Ils m'ont arraché ma robe (*montrant Clochet*), celui-ci pesait sur mes jambes (*montrant Landrieu*), celui-ci me tenait les bras (*montrant Pellerin*), et celui-ci m'a prise de force. Je peux le dire à présent, je peux le crier : vous m'avez violée et vous en avez honte; je suis lavée. Regarde-les donc, Henri : ils sont plus nus que je n'étais dans leurs bras. Où sont vos pinces et vos tenailles? Où sont vos fouets? Ce matin vous nous suppliez de vivre. Et c'est non. Non : il faut que vous finissiez votre affaire. // Eh bien? Vous deux, là (*désignant Landrieu et Clochet*) vous ne m'avez pas encore prise. Qu'attendez-vous? C'est votre tour. Ha! Ha! Vous êtes condamnés. Vous serez nos bourreaux jusqu'au bout et pour rien. //

Le manuscrit diffère de l'édition (pp. 203 et 204). Dans le manuscrit, la proposition de Landrieu : leur laisser la vie sauve, est suivie d'une argumentation, qui procède par phases successives et qui, à partir d'une certaine diffusion, se concentre sur Henri pour ébranler l'adversaire. Elle suscite des réactions dispersées, qui sont des variations du refus de répondre : étonnement moqueur de Lucie, approbation discrète d'Henri, réflexion de Lucie sur l'impossibilité de parler, qui ne dépend pas du vouloir, ni d'un choix, réponse interrogative d'Henri, et enfin cri de victoire de Lucie et provocation éclatante qui démasque l'adversaire.

Dans l'édition, le texte est modifié d'une double manière. D'une part, les arguments de Landrieu sont regroupés en une seule intervention; ceux qui sont vigoureux sont conservés; les plus faibles, comme dans son aparté avec Henri, sont supprimés; la fin, chaleureuse, a un accent nouveau. D'autre part, toute la chaîne des réactions précédentes a disparu : plus de rire, plus d'ironie, plus d'interrogations d'Henri. Face à Landrieu, subsiste la proclamation éclatante et provocatrice de Lucie, qui est un refus de vivre. Ainsi le dialogue, réduit à deux répliques, est particulièrement contrasté, heurté, intense; il ne retient que les temps forts et approche de sa résolution.

F. 76

CLOCHET

Oh! moi, tu sais, même si c'étaient des martyrs, ça ne me gênerait pas. J'aime le travail pour lui-même. (*Aux miliciens.*) Couchez-les sur les tables. Toi, la petite, tu n'as pas eu grand mérite à te taire : on t'a seulement chatouillée. Aujourd'hui on va te faire mal.

LUCIE

Enfin!

La remarque sadique de Clochet est abrégée dans l'édition (p. 205). Remarquons que la référence au martyre qui, pour diverses raisons, avait contrarié la première évolution dramatique (f. 72), est ici récupérée et intégrée sans difficulté au dialogue. Comme au f. 72, c'est Clochet qui exprime cette réflexion.

C. – *La dernière volonté des résistants : vivre (ff. 77-88)*

F. 77

SCÈNE III

LUCIE, CANORIS, HENRI.

(*Lucie et Henri regardent Canoris en silence. Canoris s'approche d'eux.*)

CANORIS

Êtes-vous fous? Vous me regardez comme si je voulais livrer notre chef. Il s'agit simplement de les envoyer à la grotte de Servaz, comme Jean nous l'a conseillé.

LUCIE

Dis ce que tu veux : nous ne t'écouterons pas.

CANORIS

Alors je m'arrangerai seul avec eux // et je vous sauverai la vie malgré vous. //

LUCIE

// Si tu leur parles de la grotte, je leur dirai que c'est de la blague et que tu veux les berner (?).

CANORIS

Comment veux-tu qu'ils te croient : ils y trouveront des fusils et un mort avec de faux papiers. //

F. 78

LUCIE

// Alors fais ce que tu veux. C'est bien. // [Bon. Eh bien. Sauve ta peau.] Mais ne t'avise pas de demander ma grâce.

CANORIS (*se tournant vers Henri.*)

Henri! Dis-lui...

HENRI

Je n'ai rien à lui dire et je ferai comme elle. Penses-tu que je voudrais la perdre alors que je viens de la trouver? Canoris! Qu'est-ce qu'ils ont fait de toi? Rappelle-toi : cette nuit, nous n'avions qu'un seul silence. Est-ce que tu nous mentais, alors? Est-ce que tu n'étais pas avec nous?

CANORIS

Je ne vous mentais pas; je suis toujours avec vous : c'est à eux que j'ai menti : je leur ai dit que j'avais peur // de mourir // et ce n'est pas vrai.

LUCIE (*durement.*)

Alors? Pourquoi veux-tu parler?

CANORIS (*avec douceur.*)

Pourquoi veux-tu te taire? À quoi cela sert-il?

LUCIE

À gagner! As-tu vu leurs yeux briller quand ils ont compris que tu voulais manger le morceau? Nous étions au bord de la victoire et tu as tout compromis. // À présent, quoi qu'il arrive, même si tu te reprends, ils pourront penser que nous avons flanché. // (*Comme à elle-même.*) Ah! je ne sais ce qu'il faudra faire pour rattraper le terrain perdu.

CANORIS

Pourquoi t'occupes-tu de ce qu'ils pensent? Est-ce que cela compte?

LUCIE

Il n'y a plus rien d'autre qui compte. Avec tout le reste je suis en règle.

C'est la première rédaction de la scène III : une esquisse qui contient les premiers linéaments d'une évolution. Elle est entièrement barrée de grands traits, mais en trois sections : une au f. 77 et deux au f. 78. Un trait horizontal précède la première section, juste avant l'indication de *Scène III*; un deuxième partage les deux sections du f. 78; il les sépare entre l'interrogation de Lucie (*Pourquoi veux-tu parler?*) et celle de Canoris (*Pourquoi veux-tu te taire?*). Enfin, la suppression des trois sections a été précédée de ratures partielles.

Canoris, le muet, l'irréductible, la brute, se renverse en son contraire : il parle; il propose de suivre le plan de Jean. S'il veut parler, c'est pour égarer l'ennemi par le mensonge; il ne croit pas à l'utilité de mourir et n'accorde aucune valeur à ce que l'adversaire peut penser. Il s'efforce de convaincre ses deux compagnons. Lucie paraît intransigeante. Est-ce qu'Henri saurait mieux la persuader?

Lucie apparaît comme le personnage le plus important, puissant, agressif, implacable. Il est significatif qu'elle soit nommée la première dans l'énumération des trois personnages de la scène III. Elle maintient sa fixité néantisante; elle s'oppose à toute initiative nouvelle. Elle rejette la proposition de Canoris; elle ne l'écoutera pas et, s'il lui fait le coup de la grotte, elle dira qu'il ment. Il ne faut pas parler pour gagner, continue-t-elle à penser. Et se demander si on peut parler, c'est déjà faiblir et susciter un commencement de triomphe chez l'ennemi. Tout est déjà décidé, arrêté, pétrifié : maintenir un seul silence. Henri est presque inexistant : il n'a rien à dire et suivra Lucie.

Cette esquisse de la scène III contient sans doute des éléments qui seront conservés dans les autres rédactions. Mais, pour l'instant, nous constatons que le dialogue se disperse, que la position des personnages sur le plan dramatique est douteuse et que l'organisation de la scène n'arrive pas à se faire. Les faiblesses sont principalement dues à la présence trop importante du personnage de Lucie. Sa fin de non-recevoir n'est pas propice au dialogue et annule, dès le début, tout progrès dramatique. Seule, une réduction initiale de ce rôle permettrait à Canoris d'affirmer avec éclat son projet et à Henri de devenir plus consistant; elle donnerait au dialogue, mieux polarisé, une assise plus nette.

F. 79

SCÈNE III

CANORIS, LUCIE, HENRI.

(*Pendant toute la première partie de la scène, Lucie demeure silencieuse et paraît ne pas s'intéresser au débat.*)

CANORIS

Êtes-vous fous? Vous me regardez comme s'il s'agissait de livrer notre chef. Je veux simplement les envoyer à la grotte de Servaz, comme Henri nous l'a conseillé. (*Un temps. Il sourit.*) Ils nous ont un peu abîmés mais nous sommes encore parfaitement utilisables. (*Un temps.*) Allons! Il faut parler : on ne peut pas gaspiller trois vies. (*Un temps. Doucement.*) Pourquoi voulez-vous mourir? À quoi cela sert-il? Mais répondez! À quoi cela sert-il?

HENRI

À rien.

CANORIS

Alors?

HENRI

As-tu vu leurs yeux briller quand ils ont compris que tu allais manger le morceau? Tu leur as rendu leur propre estime. (*Un temps.*) Canoris! Nous n'avions qu'un seul silence et nous n'attendions qu'une seule mort. Ce matin, quand ils sont venus nous chercher, je pensais : j'aurai eu *ça*, j'aurai eu cette nuit; c'est plus de chance que // n'ont eu la plupart des hommes // [je n'en méritais.] Et voilà! // Ce matin. // Est-ce que tu nous mentais?

CANORIS

Non, je ne vous mentais pas! C'est à eux que j'ai menti : je leur ai dit que j'avais peur et ce n'est pas vrai. Fais-moi confiance : je suis plus vieux que vous et ils m'ont travaillé plus dur, la vie qu'ils me laisseront n'est pas bien souhaitable. Mais tu ne peux pas me demander de mourir pour rien.

HENRI

Eh bien sauve ta peau. Mais laisse-nous tranquilles.

CANORIS

Il faut aussi que vous me laissiez sauver la vôtre.

HENRI

Ne t'avise pas de demander notre grâce.

CANORIS

Ce n'est pas possible que vous soyez si loin de moi. Voyons : puisque nous pouvons encore servir... Lucie! Tu comprendras ça, toi : il y a des copains à aider.

F. 80

HENRI

Laisse-la tranquille.

CANORIS

Il y a des copains à aider.

HENRI

Quels copains? Où?

CANORIS

Partout.

HENRI

Tu parles! S'ils nous font grâce, ils nous enverront dans les mines de sel.

CANORIS

Eh bien, on s'évade.

HENRI

Toi, tu t'évaderas? Tu n'es plus qu'une loque.

CANORIS

Si ce n'est pas moi, ce sera toi.

HENRI

Une chance sur cent.

CANORIS

Ça vaut qu'on prenne le risque. Et même si on ne s'évade pas, il y a d'autres hommes dans les mines : des vieux qui sont malades, des jeunes qui ne tiennent pas le coup. Ils ont besoin de nous.

HENRI

Écoute : quand j'ai vu le petit par terre, tout blanc, j'ai pensé : ça va, j'ai fait ce que j'ai fait et je ne regrette rien. Seulement, bien sûr, c'était dans la supposition que j'allais mourir à l'aube. Si je n'avais pas pensé qu'on serait six heures plus tard sur le même tas de fumier… six heures plus tard, je ne l'aurais pas touché. (*Criant.*) Je ne veux pas lui survivre. Je ne veux pas survivre trente ans à ce môme. (*Un temps. À voix presque basse.*) Et puis je suis fatigué.

F. 81

CANORIS

Oui. Et puis surtout tu ne veux pas voir leurs yeux quand ils te feront grâce.

HENRI

Après?

CANORIS

C'est toi qui es un lâche.

HENRI (*violemment.*)

Dis-moi donc, toi qui fais le malin. Qui me prouve que tu n'as pas la frousse, tout simplement. Qui te le prouve à toi-même?

CANORIS

Rien. Bientôt les doutes vont venir, je sais. Ce sera très désagréable, mais tant pis. De toute façon, il faut éviter le gaspillage. Après cela, ce que je pense // ne regarde que moi // // n'a aucune importance // [ne compte pas].

HENRI

// Et moi, si je t'écoutais, j'aurais les mêmes doutes? //

CANORIS

Je suppose.

HENRI

Nous n'en aurons donc jamais fini? C'était si simple. (*Un temps. Il marche puis revient vers Canoris.*) D'accord. Je vais parler. // Il faut que Lucie soit d'accord : je ne la laisserai pas mourir seule. (*Canoris fait un pas* //) Alors, laisse-moi lui parler. // *vers Lucie.*)

[Et ils // n'auraient pas plus d'importance que // [ne compteraient pas plus que les tiens.] (*Il va vers Canoris.*) J'ai compris : parce que *nous*, nous n'avons aucune importance. C'est ça? Tu dois être beaucoup plus heureux que nous...]

LUCIE

Garde ta salive. Seule ou non, j'ai décidé de mourir. Et ne viens pas me // parler des // [faire chanter avec tes histoires de] copains à aider. Toute ma vie, j'ai aidé les copains. Je suis en règle et je peux me donner quittance. Tu permets que je m'occupe de moi?

CANORIS

Non. Je ne te le permets pas.

LUCIE

F. 82 Imbécile! Cœur pur! Tu peux bien vivre, toi, tu as la conscience tranquille : ils t'ont un peu bousculé, voilà tout. Moi, ils m'ont avilie, il n'y a un pouce de ma peau qui ne me fasse horreur. Et toi qui fais des manières parce que tu as étranglé un môme, rappelle-toi que ce môme était mon frère et que je n'ai rien dit. Fichez-moi la paix : j'ai pris tout le mal sur moi; il faut qu'on me supprime et tout ce mal avec moi. Allez-vous-en! Allez vivre puisque vous pouvez vous accepter. Moi je me hais, il ne me reste plus que le désir de mourir et je souhaite qu'après ma mort tout soit sur terre comme si je n'avais jamais existé.

HENRI

Mon cher amour, // nous n'aurions eu qu'une seule mort. // Si tu vis, je te perds et je te dis qu'il faut vivre. Sais-tu ce que j'ai compris : ce qui se passe ici ne compte pas. Nous voulions nous grandir à leurs yeux pour leur faire honte et nous avons fini par ne plus voir qu'eux. Mais ce sont des hommes sans importance. Dans six mois ils se terreront dans une cave et la grenade qu'on jettera sur eux par un soupirail mettra le point final à toute cette histoire.

LUCIE

Qu'est-ce que ça peut me faire, leur mort? Aujourd'hui ils sont vivants et hier ils m'ont touchée.

HENRI

Mais toi non plus, tu ne comptes pas. Ce viol, ta honte, ta vie, ta mort, ce sont des bulles de savon.

LUCIE

Qu'est-ce qui compte?

HENRI

Les // copains // [camarades]. Vois Canoris, comme il est calme. Il est dans les prisons, dans les camps, dans les mines, partout sauf ici. Si tu pouvais t'oublier!

LUCIE

Jamais je n'ai été plus seule ni plus sèche.

Le texte (ff. 79-82) est d'un seul tenant; la section, qui va du f. 79 à la partie supérieure du f. 81, n'est pas rayée, mais la partie inférieure du f. 81 et le f. 82 sont barrés de deux grandes croix. Un trait horizontal coupe le f. 81, avant la grande rature, entre *j'aurais les mêmes doutes* d'Henri et la réponse de Canoris, *je suppose*. L'écrivain reprend l'esquisse de la scène, la transforme et la fait progresser : il présente une scène III, sinon complète, du moins suffisamment avancée pour pressentir une conclusion possible. Il améliore la position des personnages et renforce l'argumentation. Ainsi la scène est divisée en trois parties : la relation Canoris-Henri (ff. 79, 80, 81), le nœud Canoris-Henri-Lucie (f. 81) et le rapport Henri-Lucie (f. 82).

Lucie, au début de la scène, n'a plus la même importance. Deux indications scéniques le disent. L'énumération des trois personnages place Lucie au second rang. Et une note précise que « pendant toute la première partie de la scène, (elle) demeure silencieuse et paraît ne pas s'intéresser au débat ». Ce n'est qu'à partir du nœud et surtout dans la seconde partie qu'elle devient importante. Son effacement, son mutisme même mettent en valeur les deux autres personnages. Canoris apparaît, dès le début et dans la première partie, comme un personnage particulièrement actif. Henri, profondément transformé, a un rôle égal à la durée de la scène; il est le médiateur entre Canoris et Lucie. (Un lapsus de Canoris mentionne, au commencement de la scène, Henri au lieu de Jean : il trahit une manifestation généralisée d'Henri et une certaine ressemblance avec Jean.)

Canoris propose un projet mieux justifié. Il le rattache à la réflexion de Landrieu (ne pas gaspiller trois vies, f. 75) et le centre sur le motif de l'utilité de la vie, déjà amorcé au f. 78, mais qu'il développe en s'appuyant sur des arguments nouveaux. Il a une grande expérience de la vie. Il sait que le peu de vie qui leur sera accordé pourra être utile aux autres. Il ne croit pas que le silence soit nécessairement le signe du courage et de l'héroïsme : il y a quelque lâcheté à refuser de parler pour ne pas voir des yeux qui gracient. Il se réfère alors à l'importante croisée des regards qui donnent, à celui qui perd, la connaissance de sa propre humiliation lue dans l'œil adverse du vainqueur. Néanmoins, il n'est pas sûr de ne pas avoir peur de mourir. De toute manière, ce qu'il pense n'a aucune valeur. Cet argument sur la nullité du personnage qu'il est, réservé pour la fin et pleinement efficace, séduit Henri.

Henri devient un personnage important. Il est d'abord le partenaire de Canoris, auquel il s'oppose : l'antithèse donne au dialogue élan et netteté. Il absorbe tout naturellement les anciens arguments de Lucie (f. 78) : voir *leurs yeux briller*; sauver sa vie, mais laisser les autres au destin qu'ils ont choisi. Personnage d'une plus grande consistance? Sans doute, mais il demeure un intermédiaire dépendant des autres. Quand il parle avec Canoris, il y a derrière lui la présence muette et magnétisante de Lucie, à laquelle il se réfère expressément par deux fois (ff. 80 et 81). Il exprime la pensée de Lucie non seulement dans les paroles qui furent siennes dans le premier état, mais généralement dans sa fixation à la mort. Il est ensuite le partenaire de Lucie, à laquelle il s'oppose. Et il y a, cette fois-ci, derrière lui la présence de Canoris : il reflète son argumentation, il redit à sa manière ce qu'il a entendu sur la nullité de l'existence, l'insignifiance des ennemis, l'oubli de soi et l'importance des autres. Cette deuxième fonction a une plus grande intensité dramatique que la première.

C'est dans la seconde partie de la scène que Lucie devient le personnage central. Elle enchaîne ses propos avec ce qui précède; elle rejoint ce qui a été dit pendant qu'elle gardait le silence. Elle maintient une pétrification qui s'oppose au progressisme de Canoris et d'Henri. Elle ne pense qu'à sa mort. La Gorgone se voit dans son miroir intérieur. Elle ne s'intéresse qu'à ce qu'elle est et, comme elle voit que le mal est en elle, elle désire qu'on la détruise pour supprimer en même temps ce mal. Son regard est un regard de haine jeté contre elle-même. Cependant, elle est moins agressive ici avec Henri qu'avec Canoris dans la première rédaction; dans sa solitude figée, elle pose des questions. Mais elle ne cède pas à la double attaque de Canoris et d'Henri, à la proposition de vivre.

La conclusion des débats, mais aussi du drame, est à venir. Cependant, on peut envisager deux hypothèses. Si on limite le texte au f. 82, on ne voit alors aucun indice, aucun élément déterminant. Une dernière réflexion, forte, de Lucie pourrait avoir un effet antithétique; elle engagerait l'écrivain à reprendre sa rédaction à partir du f. 81. Toutefois, le fragment raturé du f. 87 serait difficile à intégrer : voir ff. 85-88, f. 87. Mais — et c'est la deuxième hypothèse — si on assemble les ff. 83 et 87 (partiellement), pour les raisons indiquées au f. 87, on constate que l'écrivain a envisagé une défection possible de Lucie, la fin de sa solitude dans les larmes et l'acceptation de la proposition de Canoris. Cette seconde hypothèse est plus vraisemblable.

Quand nous aurons vu toute la métamorphose de la scène III du manuscrit, je comparerai la partie qui n'a pas été rayée (ff. 79-81), celle qui a été barrée (ff. 81 et 82) et même la première esquisse (f. 77 et 78), avec la version définitive de l'édition.

F. 83

HENRI

Vraiment? Alors tes remords et tes regrets, les questions sans fin que tu te poseras...

CANORIS

Bah! C'est du bruit dans ma tête. Si je suis occupé, je n'écouterai pas.

HENRI

Du bruit dans ta tête? Et la honte qui me tenait cette nuit, est-ce que c'était aussi du bruit dans ma tête?

CANORIS

Bien sûr : tu n'avais rien à faire, il fallait bien que tu passes le temps.

HENRI

Tu... Ha! Quelle farce! Tu n'es pas bête, Canoris. Et moi je ne suis qu'un cabotin. Du bruit dans ma tête, parbleu! Que serait-ce d'autre? Est-ce que tu veux dire que nous n'avons aucune importance?

CANORIS

Quelle importance aurions-nous à nous tout seuls?

HENRI

Tu es un ami; tu me rends la juste appréciation de moi-même. Que j'étais sot. Les bœufs, dans les wagons qui les mènent à l'abattoir, peuvent charmer leurs loisirs en cultivant la honte ou en faisant héroïquement face à leurs destins. Le résultat est le même. Ce qui compte c'est ce qu'on fait, n'est-ce pas? Bon. J'ai compris! J'ai compris; tu m'as appris l'humilité. (*Un temps.*) Il faut que Lucie soit d'accord : je ne la laisserai pas mourir seule.

(*Canoris fait un pas vers Lucie.*)

L'écrivain utilise le verso d'une feuille sur le recto de laquelle il a écrit le début de la scène II (f. 72) repris aux ff. 73 et 74. Le texte du f. 84, rayé d'une double grande croix, semble antérieur à celui des ff. 73 et 74; il est probablement la suite du f. 72; mais il a été écarté.

F. 84 // LANDRIEU

Le petit qui était avec vous, qu'en avez-vous fait?

(*Ils ne répondent pas.*)

PELLERIN

Assassins!

LANDRIEU

Tais-toi. (*Aux autres.*) Il voulait parler, hein? Et vous, vous avez voulu l'en empêcher.

LUCIE (*violemment.*)

// Non! Non! // [Ce n'est pas vrai!] Il ne voulait pas parler. Personne // ne voulait veut // [n'a voulu] parler.

LANDRIEU

Alors?

HENRI

Il était trop jeune. Ça ne valait pas la peine de le laisser souffrir.

LANDRIEU

Qui de vous l'a étranglé?

CANORIS

Nous avons décidé ensemble et nous sommes tous responsables.

LANDRIEU

Bien. (*Un temps.*) Si vous me livrez votre chef, vous avez la vie sauve.

CLOCHET

Landrieu! Es-tu fou? La vie sauve! À quoi penses-tu?

LANDRIEU

Vas-tu te taire? //

Le f. 83 n'est pas barré. Il reprend un argument important du f. 81 sur la nullité de la pensée et de la culpabilité; il le développe. Le passage est situé à l'articulation scénique du nœud. Toutes les formes de connaissance et de conscience qui s'agitent dans le cerveau sont vaines, croit Canoris qui s'efforce de convaincre Henri. Ce qui compte est ce qu'on fait. Henri l'admet; il accepterait de vivre si Lucie était d'accord.

F. 85

// CANORIS

Je suppose.

HENRI

Et ils ne compteraient pas plus que les tiens? (*Il va vers Canoris.*) J'ai compris : parce que *nous*, nous n'avons aucune importance. C'est ce que tu penses depuis le début?

CANORIS

C'est ce que je pense depuis vingt ans.

HENRI

Je crois que je peux arriver à le penser aussi. (*Un temps. Il marche de long en large puis revient vers Canoris.*) Il faut que Lucie soit d'accord. Je ne la laisserai pas mourir seule. (*Canoris fait un pas vers Lucie.*) //

LUCIE

Garde ta salive. Seule ou non j'ai décidé de mourir. Et ne viens pas me faire chanter avec tes histoires de copains à aider. Toute ma vie, j'ai aidé les copains. Je suis en règle et je peux me donner quittance. Tu permets que je m'occupe de moi?

CANORIS

Non.

LUCIE

Imbécile! Cœur pur! Tu peux bien vivre, toi, tu as la conscience tranquille : ils t'ont un peu bousculé, voilà tout. Moi, ils m'ont avilie, il n'y a pas un pouce de ma peau qui ne me fasse horreur. Et toi qui fais des manières parce que tu as étranglé un môme, rappelle-toi que ce môme était mon frère et que je n'ai rien dit. J'ai pris tout le mal sur moi; il faut qu'on me supprime et tout ce mal avec. Allez-vous-en! Allez vivre puisque vous pouvez vous accepter. Moi je me hais, // il ne me reste plus que le désir de mourir // et je souhaite qu'après ma mort tout soit sur terre comme si je n'avais jamais existé.

HENRI (*à Canoris.*)

Laisse-moi lui parler. (*Un temps. À Lucie.*) Mon cher amour, nous n'aurions eu qu'une seule mort et je te perds, si tu vis. Pourtant je te dis qu'il faut vivre. Nous voulions nous grandir à leurs yeux pour leur faire honte et nous avons fini par ne plus voir qu'eux. Mais eux ne nous ont pas

F. 86 vus car ils n'ont pas d'yeux : ce sont des hommes de rien. Dans six mois ils se terreront dans une cave et la première grenade qu'on jettera sur eux par un soupirail mettra le point final à toute cette histoire.

LUCIE

Qu'est-ce que ça peut me faire, leur mort?

HENRI

La tienne n'a pas plus d'importance. // Allons, // tout cela n'était qu'une comédie.

LUCIE

Quelle comédie?

HENRI

// Ce viol, ta honte, nos résolutions! Que d'embarras! Oui, oui, nous sommes des héros, cela ne fait pas de doute : comme nous nous sommes pris au sérieux! Comme tu l'as pris au sérieux, ton corps. Tout ce qui se passe ici est truqué. Mais la comédie est finie. // Ce viol, ta honte, nos résolutions : que d'embarras. Rien de ce qui se passe ici n'est vrai. Comme nous nous sommes pris au sérieux! Comme tu as pris ton corps au sérieux! Et moi! Je me haïssais parce que j'avais poussé un cri! Allons, nous étions des héros, cela ne fait pas de doute. Mais la comédie va finir.

LUCIE

Qu'est-ce qui compte, alors?

HENRI

Tout le reste. Le monde et ce que tu as fait dans le monde; les copains et ce que tu as fait pour eux. // Tu les aides, tu les protèges, tu t'oublies et tu fais ton salut par dessus le marché. // Lucie! Si tu pouvais t'oublier.

LUCIE

Je suis sèche, je me sens seule, je ne peux penser qu'à moi.

HENRI

C'est l'orgueil qui t'isole. Tu te cramponnes et tu as peur de lâcher prise. Moi aussi j'avais peur d'ouvrir les mains. Il faut les ouvrir. Laisse-toi aller.

LUCIE

Si je me laissais aller, je deviendrais une bête. Je pleurerais...

HENRI

Pourquoi refuserais-tu de pleurer? Il faut être modeste. Je sais : les héros n'ont pas de larmes. Mais les ordres ont changé : on ne nous demande plus d'être des héros; la consigne est de vivre — modestement. Tu t'es verrouillée contre les souvenirs. Pourtant si tu pouvais trouver en toi un regret //. (?) plus (?) pour ce monde que tu vas quitter, // tu serais sauvée.

F. 87

// HENRI

C'est ton orgueil qui t'isole. Je sais : // il y a quelque chose que tu serres de toutes tes forces et que tu as peur de lâcher // [tu te cramponnes et tu as peur de lâcher prise.] Moi aussi j'avais peur d'ouvrir les mains. Il faut les ouvrir.

LUCIE

Si je m'abandonnais, je deviendrais une bête. Je crierais, je pleurerais...

HENRI

Pourquoi refuserais-tu de pleurer? Il faut être modeste //

LUCIE

Je ne regrette rien.

HENRI

Pas même ce ciel pâle au-dessus de Tignes, l'hiver dernier? Pas même la neige autour du lac? (*Il tâtonne.*) Et ces mômes qu'on rencontrait, au printemps, assises sur un tronc d'arbre, devant la scierie. Elles nous souriaient au passage et ça sentait le bois mouillé. Et la petite qu'ils ont brûlée, elle te tendait les bras quand elle te voyait et elle courait vers toi du plus loin.

LUCIE

Pauvre gosse!

HENRI

Tu la regrettes?

LUCIE

Elle est morte. Je ne la retrouverai pas.

HENRI

Il y a d'autres gosses dans les camps. Même au-dessus des camps, il y a un bout de ciel. (*Lucie éclate en sanglots.*) La comédie est terminée.

LUCIE

Viens près de moi. Regarde-moi. Il y a si longtemps que je n'ai vu de sourire. Est-ce que tu m'aimes?

HENRI

De toutes mes forces.

LUCIE

Fait-il beau? (*Henri lui désigne la fenêtre sans répondre.*) C'est vrai : F. 88 *pendant tout ce temps* il a fait beau, c'est horrible. Cette nuit, le ciel devait fourmiller d'étoiles, il devait y avoir des hommes et des femmes sur toutes les routes. J'aime tant les routes le soir. Alors c'est vrai? Je vais en revoir? Est-ce que nous faisons bien, Henri? // J'ai peur de cette douceur qui m'envahit. // Est-ce que nous faisons bien?

CANORIS

Nous faisons bien. Il faut vivre. (*Il avance vers un milicien.*) Va dire à tes chefs que nous allons parler. (*Le milicien sort. Lucie a un geste d'horreur.*)

HENRI (*tendrement.*)

Ce n'est rien. Ils ne comptent pas. Ils ne voient pas. Ils n'entendront pas. Il faut vivre.

Dans cette section (ff. 85-88), il n'y a pas de parties importantes supprimées. L'écrivain reprend aux ff. 85 et 86, les ff. 81 et 82, et leur donne une suite jusqu'à la décision des résistants et la conclusion de la scène III, selon son habitude.

Il y a, cependant, quelques passages raturés aux ff. 85, 86 et 87. Au f. 85, le texte barré est une mise au net, en partie, de la première rédaction du f. 81 qui avait été rayée. L'écrivain reprend ici une nouvelle rédaction de ce qu'il a écarté. Le court passage semble antérieur au développement du f. 83, qui est situé au même moment dramatique, entre les mêmes marques scéniques.

Au f. 86, deux ratures intéressantes : le texte d'Henri, d'abord supprimé, est immédiatement repris à la suite, mais légèrement modifié. L'éclatante affirmation, *oui, nous sommes des héros*, est atténuée; elle devient : *Allons, nous étions des héros*. Le deuxième texte d'Henri est biffé, sans laisser de trace immédiate : *tu les aides, tu les protèges, tu t'oublies et tu fais ton salut par dessus le marché*. Cependant, il est à mentionner pour deux raisons : son aspect évolutif dans la métamorphose de la scène et l'emploi parodique de la dernière expression qui est un stéréotype religieux.

Au f. 87, les trois répliques de Lucie et d'Henri semblent un premier jet. Elles sont dignes d'attention; en effet, elles continuent le texte du f. 82 et pourraient en être la suite immédiate; elles complètent l'antithèse sèche/pleurer; elles sont récrites au net au f. 86. L'écrivain aurait utilisé, de nouveau, une feuille sur laquelle il aurait déjà écrit. Cette hypothèse montre que, dès la rédaction du f. 82 et de cette partie du f. 87, il envisageait un renversement de la situation et un effondrement de Lucie.

Puisque l'ensemble des ff. 85 et 86 recouvre celui des ff. 81, 82 et 87 (partiellement), on peut les comparer pour en noter les ressemblances et les différences. Le schéma dramatique demeure le même. Henri, porte-parole de Canoris, s'efforce de convaincre, avec les mêmes arguments, Lucie, qui lui oppose la même attitude négative. Cependant, deux idées nouvelles viennent renforcer la plaidoirie d'Henri. La première est l'idée de comédie; elle s'est déjà manifestée : quand Lucie pleurait avec les yeux de Jean, c'était de la comédie pour François; quand Jean frappait sa main avec un chenet, c'était encore de la comédie. Et tout ce que les résistants viennent de faire et de vivre, c'est encore de la comédie. Ancienne, cette idée a pu être ravivée par cette sorte de spectacle cérébral qui est évoquée au f. 83 et par l'exclamation d'Henri : *quelle farce!* La deuxième idée est celle de l'héroïsme. Elle est, curieusement mais d'une manière significative, liée à la précédente. L'affrontement héroïque du destin du f. 83 a pu également la susciter. Les résistants ont pris leur rôle trop au sérieux; ils ont été des héros. Mais, maintenant, c'est fini; la comédie est jouée; ils redeviennent des hommes; ils peuvent pleurer.

Au-delà de ce seuil de modestie et de fragilité (f. 86), commence un dialogue nouveau qui prolonge et conclut la reprise précédente. Le dernier développement (ff. 87 et 88) prend appui sur la double articulation *larmes* et *souvenirs* du f. 86. Henri évoque des scènes passées, selon une certaine gradation croissante. Ces évocations sont faites de deux éléments sensoriel et affectif. Le premier a pour références le *ciel pâle* d'hiver, l'éclat de la *neige*, le *bois mouillé* du printemps; le second, la tendresse et le sourire. Il y a un évident rapport entre les deux. Par ailleurs, elles touchent Lucie, qui perd son agressivité, s'émeut et *éclate en sanglots*. Dans le présent où convergent ces souvenirs, le jeu héroïque, la comédie, sur laquelle a insisté Henri, sont terminés; il y souffle une bouffée de vie; on y retrouve la composition sensorielle et affective du passé émouvant : le ciel nocturne et étoilé, les routes du soir, et la tendresse et le sourire.

Cet ensemble de fragments, raturés ou non, du manuscrit diffère de l'édition (pp. 207 à 215). Entre les deux, se situe au moins une autre rédaction de la scène III : on remarque que celle-ci a intégré des passages qui avaient été supprimés dans la transformation du texte du manuscrit, par exemples aux ff. 77 et 86, et en a rejeté d'autres, non rayés et qui semblaient définitifs, comme ceux des ff. 83, 86, 87 ou 88. (Le texte du manuscrit ressemble davantage à l'édition « originale » de Marguerat, Lausanne, 1946, quoiqu'il en diffère : celle-ci constitue donc une autre rédaction.)

Je mettrai en évidence trois aspects de la métamorphose : les signes météorologiques, le compte à rebours du temps, et surtout la nouvelle organisation du schéma scénique.

Les signes météorologiques. — Ils sont répartis dans la durée de la scène de l'édition, alors que le manuscrit n'en mentionne aucun. Et ils sont exprimés non seulement au niveau des indications scéniques, mais par les trois personnages, qui semblent consulter le ciel comme un miroir et un oracle. C'est d'abord Canoris qui remarque, dès le commencement (p. 207), que *le soleil se couche* et qu'*il va pleuvoir*. C'est ensuite Henri qui *regarde* par la fenêtre (p. 210) et qui constate que *tout est noir* et que *la pluie va tomber* : son regard n'atteint pas seulement le ciel, mais sa propre conscience. Canoris lui répond d'une manière quelque peu prophétique : *le ciel s'est entièrement couvert. Ce sera une bonne averse* (p. 210). Enfin, Lucie voit et entend *la pluie* (p. 214), cette pluie qui *se met à tomber par gouttes légères et espacées d'abord puis par grosses gouttes pressées*. Elle aussi *regarde* par la fenêtre comme Henri; elle perçoit *le bruit de la pluie : elle tombe fort*, dit-elle, *ça va sentir la terre mouillée*. Et, en même temps, elle découvre ce qu'elle est. Et elle est en accord avec ce monde pluvieux qui lui est extérieur.

Rien, dans le manuscrit, ne laissait prévoir cette manifestation de la pluie. Cependant on peut tenter, à partir de cette origine, d'en expliquer la formation. La sensation olfactive du *mouillé* et l'épiphanie pluvieuse viennent peut-être de l'odeur de la scierie qui *sentait le bois mouillé* (f. 87). La pluie est peut-être aussi issue d'un réseau d'éléments antithétiques, suivant un renversement brusque qui appartient à la composition sartrienne. Comme la sécheresse de Lucie s'est inversée en un épanchement de larmes, elle a pu susciter, dans le miroir du ciel, l'apparition antinomique de l'averse. Surtout, le ciel étoilé et les routes peuplées du soir se sont renversés en un ciel noir d'orage. Et ces antithèses se résolvent en un accord de similitude : pluie/pleurs. Enfin, il semble que l'indice de l'eau vivifiante ne soit pas étranger à un changement, ni à un regain de vie.

Les jalons chronologiques. — Ils ne sont pas dans le manuscrit. Ils forment une chaîne qui double l'évolution météorologique, et opèrent un compte à rebours des minutes; ils marquent une tension vers un événement à venir dans un futur immédiat. Canoris tient à utiliser tout le laps de temps accordé : *il reste cinq minutes* (p. 212). Lucie, qui doute de l'intérêt de ce peu de temps, met en valeur le signal : *cinq minutes [...] Me convaincre en cinq minutes*? Plus tard, un milicien rappelle qu'*il reste deux minutes* (p. 213). Et, enfin, que *c'est l'heure* (p. 215). Ce chronométrage est peut-être issu de la mesure de temps que Landrieu donne à Canoris : *Tu as un quart d'heure pour les décider*, qui est déjà dans le manuscrit (f. 77) et qui est reprise dans l'édition (p. 206). Il a peut-être aussi été suscité par la métamorphose météorologique et, en particulier, par l'indication bivalente du début qui réfère au ciel et au temps horaire : *le soleil se couche* (p. 207).

Le nouveau schéma scénique. — Pour mieux voir comment s'est organisée la scène III de l'édition, à partir de la version du manuscrit, il conviendrait d'abord de résumer ce que le travail de l'écrivain a donné dans le manuscrit.

Le schéma scénique vient de l'esquisse raturée des ff. 77 et 78 : les trois personnages sont différents. Canoris présente un projet pour résoudre la situation : parler pour égarer l'ennemi et avoir la vie sauve. Lucie refuse la proposition. Et Henri, pris entre les deux extrêmes, fera ce que Lucie décidera.

L'ensemble des ff. 79-82 est constitué de trois parties : deux parties principales, le dialogue de Canoris et d'Henri, et celui d'Henri et de Lucie, séparées par une transition.

Le dialogue de Canoris et d'Henri (ff. 79-81) n'est pas barré. Il conserve les trois polarités précédentes, positive et active de Canoris, négative et statique de Lucie, neutre d'Henri. Cependant, Canoris dispose de plus de champ, dès le début, pour affirmer et développer sa proposition. Il la rattache à la valeur de l'action, et il la soutient d'une argumentation, meilleure et contrastée, qui met en évidence son expérience de la vie, la valeur d'un instant de vie et les mouvements vains de la conscience et de la pensée. Henri s'oppose à Canoris, moins de lui-même que du fait qu'il représente Lucie, cette Lucie qui est devenue silencieuse et qui a fait passer ses arguments dans la neutralité de son compagnon. Il est soumis à la pesanteur de la mort et manifeste, d'une manière agressive qui ne lui convient pas, une certaine violence à l'égard de Canoris.

Au f. 81, la transition est rayée. Le dialogue à deux s'élargit brièvement à des échanges à trois personnages. C'est un nœud dramatique. Henri accepte le raisonnement de Canoris. Cependant, il n'abandonne pas Lucie : il la suivra. Or elle a déjà décidé de mourir. Canoris veut intervenir; il est éliminé. D'où la possibilité d'un dialogue Henri-Lucie. (Le f. 83 qui n'est pas raturé précise la réflexion sur la vanité de l'existence qui n'est pas action. C'est le moment où Henri cède à Canoris.)

Le f. 82 est le dialogue d'Henri et de Lucie. Il est barré. Henri répète à Lucie la leçon de Canoris, qu'il a faite sienne. Mais Lucie, moins agressive que dans l'esquisse, demeure intransigeante et prête à mourir. Si on retient l'hypothèse la plus vraisemblable, et si on place le texte raturé du f. 87 à la suite du f. 82, le dialogue s'infléchit vers une résolution possible. L'ensemble des ff. 85-88, non barré, s'enracine dans la transition et reprend le dialogue d'Henri et de Lucie (ff. 81 et 82). Il s'enrichit de deux arguments : l'existence est comme un jeu scénique; et ce jeu est celui du héros. Mais maintenant — et l'écrivain pense que c'est la fin de la pièce — tout cela est terminé : la comédie et l'héroïsme. Le dialogue s'élargit en un déploiement de souvenirs, qui font céder Lucie.

La scène III de l'édition diffère de la version du manuscrit en certains points. Sans considérer les marques météorologiques et chronologiques déjà étudiées, on note d'importants remaniements dans la première partie, le dialogue de Canoris et d'Henri (pp. 207 à 211). À la page 208, Henri élimine des arguments qui avaient appartenu à Lucie, du genre *As-tu vu leurs yeux briller*... Il en présente de plus personnels et de mieux ajustés à ceux du partenaire : au rappel de l'expérience et des tortures de Canoris, il oppose le supplice que ses bourreaux viennent de lui faire subir. Par ailleurs, selon une métamorphose antithétique dans le rapport d'une version à l'autre, telle qu'on a pu déjà la remarquer, Henri passe du ton *violent*, dernier reliquat de Lucie, à la *douceur*. La transformation de cette partie affecte davantage Henri que Canoris. C'est encore vrai à la p. 210. Henri vient de *regarder* le ciel qui devient *noir*. Et comme s'il avait vu sa conscience dans un miroir, il découvre qu'il a agi *par orgueil*; et il est envahi, de nouveau, par un irréductible sentiment de culpabilité. Ce trait convient bien à son caractère. Mais aux ff. 86 et 87, Henri attribuait cet orgueil à Lucie, par un transfert inhabituel, qui se dérobait aux effets du regard intérieur. Ici, il retrouve la faute au fond de sa conscience et se complaît en lui-même. Exalter sa faute, c'est exalter son orgueil : c'est plus en lui-même qu'il place son orgueil que dans le fait d'avoir tué François. Et, à cette faute et à cet orgueil, il ne peut s'arracher. Aussi (p. 211), Canoris lui reproche de trop s'occuper de lui. La solution qu'il lui propose est dans la fuite de soi, qui sera oubli de son orgueil et de sa culpabilité, dans le travail et dans l'action auprès des autres. Et il ajoute cette étonnante formule thérapeutique : *on se sauve par-dessus le marché*. Il y a, dans ce cas, un déplacement du dialogue. En effet (f. 86), c'est Henri qui reproche à Lucie son orgueil et qui lui propose le remède contre la Gorgone intérieure, le même remède : les copains, *tu les aides [...] tu t'oublies et tu fais ton salut par-dessus le marché*. La phrase biffée dans le manuscrit ne laisse pas de trace immédiate. Ce déplacement laisse entendre que, dans l'édition, d'autres arguments apparaîtront à la place vide, ou du moins un autre arrangement du dialogue.

À la p. 211, on constate une double suppression d'éléments du manuscrit qui constituaient la transition. D'abord, le passage du dialogue à deux personnages, à celui à trois personnages, puis, de nouveau, à celui à deux personnages, sur lequel l'écrivain avait particulièrement travaillé (ff. 81, 83, 85) disparaît. D'un autre côté, Henri n'a plus à se placer entre les deux extrêmes, Canoris et Lucie, comme un intermédiaire. Il n'y a plus l'amorce d'un renversement de dialogue, le début d'une sorte de symétrie Henri-Lucie par rapport à Canoris-Henri. Henri compte sur Lucie pour prendre la décision et ne dit rien d'autre.

De la p. 211 à la p. 215, il n'y a donc plus de dialogue d'Henri-Lucie : ce qui entraîne la disparition d'un certain nombre d'éléments du discours. Henri ne répète plus à Lucie la leçon apprise; plus de panégyrique de l'action; plus de procès de la vanité de soi; plus d'allusion à l'héroïsme qui n'est plus de mode, à la comédie qui se termine. Il n'évoque plus les souvenirs de beauté et de tendresse. Il n'émeut plus le cœur de Lucie. Il se contente de confier à Lucie le choix de décider. Mais Canoris, devenu un personnage plus important, se substitue à Henri et cherche à convaincre Lucie. Il y a ainsi un dialogue de Canoris et de Lucie. Et Canoris emprunte ses arguments à Henri : à la p. 213, il décèle l'orgueil dans la conduite de Lucie; c'était l'opinion d'Henri au f. 86; il lie, d'ailleurs, sa remarque à la culpabilité qu'Henri vient de reconnaître (p. 210). À la p. 214, il dit à Lucie que les miliciens sont de peu d'importance; c'était la pensée d'Henri aux f. 82 et 86. À la même page, il affirme que ce qui importe est d'agir dans le monde et de le faire pour les autres; c'était encore la réflexion d'Henri au f. 86. Toutefois, à la p. 212, il reprend un motif de la première esquisse (f. 77) : les sauver malgré eux. De son côté, Lucie reprend, à la p. 213, des raisons qu'elle avait formulées au f. 77, aussi, et au f. 78 : dire que Canoris ment; voir l'éclat du triomphe dans les yeux de l'ennemi. Il est intéressant de noter que l'esquisse ne fut pas seulement la matrice de divers états de la scène III, mais qu'elle a donné directement des éléments constitutifs de la version de l'édition. De plus, l'écrivain, en retournant à la première rédaction, a retrouvé une Lucie plus agressive dans une confrontation plus violente avec Canoris.

Le texte de l'édition apparaît, dans la comparaison, d'une plus grande cohérence et d'une plus forte efficacité dramatiques. Il écarte les considérations sur la conscience (f. 83) ou sur la manifestation de la fiction (f. 86) et les souvenirs (f. 87), qui conduisent à la rêverie. Il évite les développements discontinus et itératifs du dialogue d'Henri et de Lucie (f. 86). Il est plus fidèle à la continuité évolutive des personnages : culpabilité et épuisement d'Henri; agressivité de Lucie; expérience de Canoris, qui avance un projet et qui devient un grand personnage. Il enchaîne la décision de vivre avec une progression météorologique et un minutage du temps. Et il finit sur un contraste double, d'une part, entre Canoris et Lucie, et, d'autre part, entre une Lucie irréductible et une Lucie qu'anéantit, d'une manière brusque et brutale, un ordre physique.

En somme, le manuscrit n'est pas celui qui a été édité. Sans doute, la comparaison des découpages scéniques présente de précises correspondances :

MANUSCRIT	ÉDITION
Acte I	*Premier tableau*
sc. I, ff. 1-17	sc. I, pp. 87-114
sc. II, ff. 17-19	sc. II, pp. 115-118
sc. III, ff. 20-22	sc. III, pp. 119-121
sc. IV, ff. 22-26	sc. IV, pp. 122-125
sc. V, ff. 26-29	sc. V, pp. 126-130
Acte II	*Deuxième tableau*
sc. I, ff. 31-33	sc. I, pp. 131-134
sc. II, ff. 33-35	sc. II, pp. 135-138
sc. III, ff. 35-37 sc. IV, ff. 37-42	} sc. III, pp. 139-146
sc. V, ff. 42-44	sc. IV, pp. 147-148
sc. VI, f. 44	sc. V, p. 149
sc. VII, ff. 44-45	sc. VI, pp. 150-151
sc. VIII, ff. 45-46	sc. VII, p. 152
sc. IX, ff. 46-47	sc. VIII, pp. 153-156
sc. X, f. 48	sc. IX, pp. 157-158
Acte II	*Troisième tableau*
Deuxième tableau	
[sc. I], ff. 49-52	sc. I, pp. 159-167
sc. II, ff. 52-63	sc. II, pp. 168-188
sc. III, ff. 63-64	sc. III, pp. 189-190
Acte III	*Quatrième tableau*
Quatrième tableau	
[sc. I], ff. 65-73	sc. I, pp. 191-201
sc. II, ff. 73-77	sc. II, pp. 202-206
sc. III, ff. 77-88	sc. III, pp. 207-215
sc. IV, f. 88	sc. IV, p. 216
sc. V, f. 88-89	sc. V, pp. 217-218

Cependant, dans la reproduction scénique du manuscrit dans la version définitive, il y a quelques variantes. Dans le manuscrit, deux références scéniques ont été omises : les deux indications de scènes I à l'acte II, deuxième tableau, et à l'acte III, quatrième tableau. Il semble que la mention de *tableau*, de formulation nouvelle, ait effacé alors la subdivision de scène. Dans l'édition, les deux références sont indiquées. On remarque aussi que la scène III du deuxième tableau (pp. 139-146) ne se scinde pas en une autre scène, à l'entrée d'Henri (p. 141) à la différence du manuscrit (f. 37) où on passe à la scène IV. Le f. 37 est d'ailleurs raturé, et la reprise est au f. 39, sans répétition de la notation scène IV. Cependant, la numérotation continue normalement : f. 42, scène V. Dans l'édition, les scènes sont décalées par rapport au manuscrit, mais tout en conservant leurs correspondances. Enfin on note que le tableau s'est substitué, dans la version définitive, à l'acte. On a déjà vu que, dans le manuscrit, un régime concurrentiel acte / tableau s'était formé et avait abouti à l'équivalence de l'acte et du tableau au f. 65 : l'organisation de la pièce en tableaux s'est donc faite progressivement. Le manuscrit présente la disposition suivante :

Acte I.
Acte II.
Acte II. Deuxième tableau.
Acte III. Quatrième tableau.

La version éditée instaure l'ordre contenu dans l'équivalence : Acte III. Quatrième tableau, du manuscrit, élimine l'acte et généralise le tableau. Elle parfait ce qui était inchoatif :

MANUSCRIT	ÉDITION
Acte I.	Premier tableau.
Acte II.	Deuxième tableau.
Acte II. Deuxième tableau.	Troisième tableau.
Acte III. Quatrième tableau.	Quatrième tableau.

Le drame est bien composé de *quatre tableaux* (p. 83). Néanmoins il est aussi présenté comme une pièce en *deux actes* (p. 83). Deux actes, à la vérité, bien énigmatiques, et qui ne sont pas mentionnés à l'intérieur de la pièce.

L'édition Marguerat, Lausanne, 1946, *Morts sans sépulture*, qui constitue l'édition originale, est une *pièce en trois actes*. La concordance est la suivante :

MANUSCRIT	MARGUERAT
Acte I.	Acte I (p. 9)
Acte II.	Acte II (p. 71)
Acte II. Deuxième tableau.	Acte III. Troisième tableau (p. 109)
Acte III. Quatrième tableau.	Acte III. Quatrième tableau (p. 157)

L'édition Gallimard, Paris, 1947, publie diverses divisions sous le titre de la pièce, mais ne retient pour l'organisation du texte que les séquences des *tableaux* :

> *Théâtre*, I, 1947, *Morts sans sépulture, deux actes, quatre tableaux.*
> *Théâtre*, I, collection « Soleil », 1947, *Morts sans sépulture, quatre tableaux.*
> Et dans la collection « Folio », 1972, *La P... respectueuse* suivi de *Morts sans sépulture*. C'est l'édition à laquelle nous nous référons dans ces analyses; elle mentionne une pièce en *deux actes et quatre tableaux*.
> Mais Éditions Nagel, Paris, 1947, [*France illustration,* littéraire et théâtrale, 1er mars 1947, pp. 15-38.] *Morts sans sépulture*, pièce en *quatre actes*.

Ainsi les deux divisions concurrentielles ont survécu dans une certaine confusion. Elles sont déjà dans le manuscrit qui présente la double organisation, incohérente cependant, et qui indique un effacement de l'acte et une affirmation progressive du tableau.

Il y a surtout, entre les deux textes, celui du manuscrit et celui de la version définitive de l'édition retenue, des différences qui jalonnent toute la pièce. Cependant celles-ci ne sont pas également réparties. On distingue deux parties. Si on se réfère au manuscrit, on précisera que la première comprend l'acte I et une section de l'acte II, c'est-à-dire l'ensemble des ff. 1-53; et la seconde, la deuxième section de l'acte II et l'acte III, c'est-à-dire l'ensemble des ff. 53-89. Dans la première, les écarts entre les deux textes sont peu nombreux et d'une moindre importance; dans la seconde, ils sont plus nombreux et plus remarquables. Les modifications peuvent être des suppressions; elles sont surtout des ajouts. Elles sont plus importantes dans le texte définitif, aux endroits de la pièce où le manuscrit montre un plus grand travail de l'écrivain. L'effort pour améliorer le drame a continué au-delà du manuscrit, comme le texte édité en porte la marque. Et elles sont d'une plus grande ampleur là où apparaissent des sommets : la mort de François, le dialogue de Jean et de Lucie, la dernière volonté des résistants. Et elles coïncident le plus souvent avec les dialogues des résistants.

Cependant, si on envisage l'ensemble de ces modifications diversement accentuées, mais qui correspondent à une idée unique, à un projet totalisant, on peut distinguer des caractères communs.

L'écrivain rejette ce qui éloigne d'une sorte de présent absolu et qui ne semble pas appartenir à l'instant fulgurant du drame : ce sont comme des expressions secondaires et marginales. On pourrait rappeler, en exemples, les allusions amoureuses, ou les propositions excentriques en ce sens qu'elles évoquent des gestes déjà accomplis (ff. 63-64) et qui ne sont plus dans le tableau III, scène III. Ou bien les considérations sur le rôle et l'importance de la conscience (f. 83) ou les réflexions sur la comédie qui ne compte pas, et l'existence qui commande (f. 86) ou les souvenirs de la vie de résistant (f. 87), qui disparaissent du tableau IV, scène III : ce sont, tous, des signes d'un passé plus ou moins proche qui nuiraient à l'éclat tragique et à la tension croissante.

De plus, l'écrivain ajoute à son texte les résonances morales du regard réflexif quand il peut le faire sans diminuer, semble-t-il, l'intensité dramatique. Ce qui est peut-être plus facile au commencement de la pièce où le ressort est moins tendu : on note un double développement, qui n'existe pas dans le manuscrit; le premier au tableau I, scène I (pp. 99 et 100), où le dialogue de Lucie et de Sorbier approfondit la connaissance de soi; le second, également au tableau I, scène I (pp. 107-111), où les échanges entre Henri, Sorbier et Canoris sont polarisés par la conscience qu'on a de soi-même et par le sentiment de culpabilité. Mais l'augmentation du texte, due aux considérations morales et à la réflexion sur soi, apparaît à divers endroits de la pièce et jusqu'à la fin. Ces développements ont alors une incidence directe dans le présent tragique. Au tableau III, scène II (pp. 176 et 177), Jean renonce à défendre François non plus parce qu'il rencontre la présence physique de ses amis, mais parce qu'il se heurte à une parade morale, qui le renvoie à sa propre responsabilité et à son sens de la justice. Au tableau III, scène II (p. 185), Lucie insiste sur la valeur du passé de son amour pour mieux le confronter avec le présent qui l'anéantit. Et à ce même tableau, à cette même scène (p. 185), Jean exprime ses sentiments et sa pensée sur ce que l'autre ressent : il en montre en même temps leur fragilité. Ou bien un fait, la mort de François, suscite des questions et des explications entre Jean et Henri et ranime chez ce dernier la culpabilité, encore à ce même tableau, à la même scène (pp. 178 à 181). Et à la fin, au tableau IV, scène III (pp. 210 et 211), le sentiment coupable de l'orgueil envahit de nouveau sa pensée, mais pour être retourné en une décision qui embraie dans le présent dramatique.

Enfin, l'écrivain s'efforce de renforcer la cohérence du personnage et de la pièce. On pourrait vérifier la permanence du caractère du personnage au tableau IV, scène III, où Henri ne cesse de s'interroger sur lui-même, où Lucie, close sur elle-même, continue à ne rien regretter, où Canoris demeure l'homme réaliste. Non seulement chaque personnage tend à conserver son unité dans l'évolution du drame, mais les personnages se groupent en une entité autour d'un pôle, comme les résistants sont unis par la honte au tableau III, scène III (p. 190). On remarque encore que le dramaturge multiplie les liaisons, qui se présentent sous des formes diverses. Au tableau IV, scène III, des repères météorologiques et chronologiques marquent la durée dramatique, respectivement par progression du temps pluvieux et par soustraction des minutes, et enchaînent les instants qui passent. Au tableau III, scène II, la mort de François est comme un miroir qui construit le dialogue en deux figures inversées : Henri contre Jean, Jean contre Henri. Un même personnage assume une double fonction : au tableau III, scène II, Henri décide Jean à ne rien faire et il étrangle François. Ou, au tableau IV, scène III, Canoris réfute les arguments d'Henri et, dans son élan, cherche à convaincre Lucie. Et, au tableau III, scène III, Lucie relie, par l'évocation et l'énumération, ce qui s'est passé, ce qui est et ce qui sera, en une figure unique.

Cet ouvrage,
publié hors collection
par les Presses de l'Université d'Ottawa,
a été composé en Garamond corps 12
et imprimé
sur les presses de l'Imprimerie Marquis,
à Montmagny (Québec),
en février 1987.
La maquette de la couverture
est de Gilles Robert.